NARRATORI ITALIANI

LUCA DI FULVIO
IL GRANDE SCOMUNICATO

ROMANZO
BOMPIANI

© 2011 Bompiani / RCS Libri S.p.A., Milano

ISBN 978-88-452-0111-0

Prima edizione Bompiani marzo 2011

A Carla, che immagina i miei sogni.
E a mio padre, che nei sogni si fa immaginare.

"La tua vita scorrerà come un libro di storia
Non aver paura di voltare la pagina
Tanto è tutto lo stesso
E sarà sempre lo stesso."

Bright Eyes, *Mirrors and Fevers*

L'INIZIO DELLA FINE

Quando il dittatore del paese muore avvelenato all'età di duecentoquattordici anni.

La prima cosa che il Grande Scomunicato sentì, morendo, quando era ancora sospeso tra questo mondo e quell'altro, fu un vocio familiare, un cicaleccio allegro che apparteneva a un tempo lontano.

'Sono tornati!' pensò. 'Sono tornati!'

Si girò verso la figlia, che gli aveva premurosamente cucinato una zuppa di farro e fagioli, come ogni giorno. La donna aveva gli occhi sgranati e lo guardava preoccupata.

"Li senti anche tu?" provò a dire il Grande Scomunicato ma tutto quello che gli venne fuori fu un mugugno, un rutto e qualche sillaba che s'impantanarono miseramente nella bava che gli stava schiumando dalla bocca. Cercò di mimarglielo, però il veleno gli aveva ormai paralizzato i muscoli. Gli si mosse solo il mignolo della mano destra e il Grande Scomunicato vide che la figlia non se n'era accorta.

'Chi se ne frega,' pensò. 'Tanto che avrebbe potuto capire da un mignolo?'

Allora gli venne da ridere. E sentì la propria voce che rideva. Ma non lì dove si trovava. Rideva di là, dov'era diretto, insieme al vocio familiare che aumentava d'intensità.

'Arrivo, arrivo!' pensò, e subito gli parve di udire un applauso entusiasta. 'Sono proprio dei mentecatti. Ventiquattro irrimediabili mentecatti.'

Intanto, di qua, nel mondo che era prossimo a lasciare, la figlia gli stava asciugando con un fazzoletto la schiuma verdognola che gli colava dalla bocca e continuava a ripetere: "Stai tranquillo, andrà tutto bene. Non avere paura."

Il Grande Scomunicato s'irrigidì, le labbra gli si contrassero in uno spaventoso sorriso senza allegria, il mignolo gli si pietrificò impennato, le gambe divennero di ghiaccio, i piedi gli sembrarono lontanissimi e smise di respirare pensando: 'Lo sapevo che era un cane rabbioso. Dovevo lasciarlo alla catena.'

Intanto la figlia, assicuratasi che il padre morto restasse in equilibrio lì dov'era, sul gradino più basso del mausoleo che s'era fatto costruire anni prima, si tirò su, versò per terra quel che rimaneva della zuppa e si piantò i pugni sui fianchi.

"Cane!" urlò al figlio sopravvissuto alla Rivoluzione, scomparso chissà dove. Poi accarezzò il capo pelato del padre, con cautela. "È colpa mia, avevi ragione," disse. "Mi dispiace tanto." Gli si sedette accanto e aspettò che venisse qualcuno per organizzare il funerale.

L'erba era umida ma piacevole. Lassù tutto era fresco, a cominciare dall'aria, tanto leggera che dava quasi alla testa. Era contenta che suo padre avesse riservato per sé l'unica altura di quella desolata piana semidesertica. E così, con il capo appoggiato alla coscia ormai dura del Grande Scomunicato, lasciò spaziare lo sguardo in basso, senza indagare le cose. Vedeva le macerie del paese costruito da suo padre, appena rischiarate dalle tremule candele votive agli angoli delle strade, accanto alle statue dei martiri squartati o agonizzanti che avevano oppresso per anni gli abitanti e che adesso erano rovesciate a terra, mutilate dalla Rivoluzione. Vedeva la strada che portava a sud, innaturalmente zigzagante nella piana, e quella che si dirigeva a nord, altrettanto innaturale ma, al contrario, dritta come un fuso. E ricordò quanto le aveva odiate il Grande Scomunicato. Oltre non si scorgeva nulla, invece. Forse perché tutto quello che si trovava al di là era vietato. O forse perché era esistito solo nei racconti di suo padre e di qualche vecchio. O forse perché il mondo finiva lì, in quel buio impenetrabile.

La donna rabbrividì. Trasmise la vibrazione al cadavere rigido del padre che ondeggiò pericolosamente. Lo trattenne, lo rimise in equilibrio. Fissò i lineamenti pronunciati del genitore – il mento largo e sporgente, il naso adunco e ossuto, gli zigomi che tiravano la pelle trasparente, le labbra da rettile, gli occhi ormai spenti che avevano carbonizzato tutti in paese – e le parve che si stessero ingentilendo, come sfumando.

Ma era una trasformazione che aveva già notato negli ultimi anni. Era cominciata quando aveva ceduto l'anello ai due nipoti. Il peso del gioiello l'aveva abbandonato e con esso la sua maledizione.

Allora lei gli si era avvicinata. E il Grande Scomunicato, il feroce dittatore che aveva sterminato anche i suoi figli maschi, l'aveva lasciata avvicinare.

IL FUNERALE

Quando la figlia del Grande Scomunicato annuncia al popolo che nessuno di loro esiste.

All'alba la figlia del Grande Scomunicato si svegliò intirizzita e indolenzita. Spiando il buio s'era addormentata sull'erba umida con la testa reclinata sulla coscia del padre. Aveva sognato corse di cavalli, giochi e feste, aveva annusato minestra di farro e fagioli, aveva visto il Grande Scomunicato ridere come un bambino. Forse quell'aria fresca e leggera della collina le aveva dato sul serio alla testa, pensò. Allora si alzò, si massaggiò le natiche congelate, sciolse i muscoli del collo e poi guardò verso il paese.

"Ehi, laggiù!" gridò a un gruppo di persone che avevano uno dei pochi carri risparmiati dalla Rivoluzione. "Venite qua! È morto!"

Mentre i contadini s'affrettavano con un carro trainato da un bue, chiuse gli occhi ancora sbarrati del padre.

"Portatelo giù," disse ai contadini.

Osservò i solchi lasciati dalle ruote del carro e le zolle sollevate dagli zoccoli del bue. Il Grande Scomunicato, negli ultimi tempi, aveva un'attenzione e una cura maniacali per quella collina. Aveva proibito a chiunque di calpestare l'erba a meno che non fosse di fondamentale importanza e lui stesso si muoveva come su un tappeto di uova. Più d'una volta la figlia, quando gli portava il pranzo o la cena, camminando in punta di piedi come le aveva raccomandato, lo trovava ritto in una strana posa da fenicottero, con una gamba arricciata sull'altra.

"Così diminuisce l'area calpestata," le aveva spiegato lui.

E adesso, scendendo verso il paese, la donna si rendeva conto che se suo padre avesse visto quei solchi e quelle zolle smosse avrebbe fatto un gran chiasso.

Quando fu a palazzo – che solo il giorno prima era tornato in loro possesso – radunò i servitori sopravvissuti alla Rivoluzione e diede a ciascuno dettagliate istruzioni per la veglia. Poi andò in chiesa, prese in disparte il chierico e gli ordinò di preparare gli arredi sacri e di coprire con teli neri tutte le statue dei martiri che i ribelli non avevano distrutto.

"Sono orribili. Mi fanno tristezza," spiegò.

Tornata a palazzo si accinse a scrivere l'orazione funebre. La maggior parte delle stanze e dei muri erano crollati. La Rivoluzione aveva raso al suolo tutto ciò che si frapponeva tra la sua furia e i suoi obiettivi. La figlia del Grande Scomunicato trovò ancora in piedi la camera da letto del padre. Fece sistemare lì il cadavere e, rimasta sola, si rese conto di non aver ancora pianto. Allora, prima di mettersi all'opera con carta e penna, appoggiò i gomiti sul piano della scrivania e, a occhi chiusi, aspettò le lacrime. Aspettò e aspettò. Poi una pendola sepolta sotto le macerie suonò le dieci. A mezzogiorno avrebbe dovuto pronunciare il discorso. Non c'era più tempo per piangere, si disse. Era il momento di lavorare. E scrivere l'orazione funebre per il Grande Scomunicato non era impresa facile. Non aveva fatto una sola cosa buona in vita sua. Peggio, era stato insopportabilmente crudele. Forse lei sola, in quegli ultimi anni, si era resa conto dei miglioramenti. Ma l'opinione generale era che si fosse soltanto rimbambito.

"Scrivere qualcosa di decente per uno come te è ancora più difficile che piangere," disse al cadavere rigido e impettito del Grande Scomunicato. "Improvviserò in chiesa."

Intanto le fu annunciato l'arrivo del medico che avrebbe dovuto certificare, per ragioni burocratiche, l'avvenuto trapasso del signore incontrastato del paese. Il medico fece un balzo all'indietro appena vide il Grande Scomunicato: era seduto sul bordo dell'imponente letto a baldacchino con il mignolo della mano destra impennato verso l'alto e le labbra atteggiate a uno spaventoso sorriso.

"Quanti anni ha il defunto?" chiese il medico.

"Nessuno li ha mai contati," mentì la figlia, sapendo invece che aveva abbondantemente superato i duecento.

Il medico compilò le pratiche e se ne andò. La figlia del Grande Scomunicato convocò un servitore e gli disse: "Vai a chiamare il becchino, abbiamo un problema con la bara."

Ai paesani sembrò una delle più belle idee che fossero mai state escogitate quando videro la salma del Grande Scomunicato avanzare in testa alla processione. E nessuno sospettò che tutto nascesse da una insormontabile necessità. Il becchino, infatti, non era riuscito a mettere steso il Grande Scomunicato per farlo entrare nel feretro. Il cadavere si era troppo irrigidito in quella posa seduta. E così aveva costruito una bara a cubo, per la metà inferiore di legno e per la metà superiore di cristallo, con un tetto di lamine d'oro. Il Grande Scomunicato, con il terribile sorriso della morte ancora stampato in faccia, sedeva su un

trono di porpora e il mignolo della mano destra pietrificato all'insù gli dava un'aria molto signorile.

La folla, anch'essa martoriata dalla Rivoluzione, si accal-
cò nella chiesa. E chi non c'era riuscito restò fuori, pigian-
dosi verso gli ingressi, sperando di sentire qualcosa. Non
un solo abitante si sarebbe perso il funerale del dittatore.
Era senza dubbio il più grande evento dalla nascita del
paese.

Quando il prete ebbe sciorinato tutte le formule latine
del rito mortuario, la figlia del Grande Scomunicato, con
soddisfazione dei presenti, salì all'altare e si schiarì la voce
per pronunciare il discorso funebre.

"Parlare bene di mio padre mi è impossibile," cominciò.

La platea mormorò un incerto consenso.

"So che tutti voi lo odiavate..." e lasciò spaziare lo
sguardo sulla folla riunita. "E ciononostante, dopo la Rivoluzione, lo avete implorato di tornare a vessarvi, a maltrat-
tarvi, a esercitare la sua ingiustizia."

Un mormorio imbarazzato.

"Anch'io un tempo l'ho odiato," riprese la donna, che
in gramaglie era bellissima, tutta vestita di nero, neri i
capelli ricci nei quali la luce delle candele si smarriva per
ricomparire il momento dopo, trasformata e ben più lumi-
nosa. "Ma poi ho capito."

"Cosa? Che ha capito?" si domandò la folla.

La figlia del Grande Scomunicato taceva. Li guardava.
E già le sembrava che si sfocassero, prossimi a svanire, e
che la chiesa stesse appannandosi. Come se una nebbia,
appena percepibile, li stesse inghiottendo tutti, uomini e
cose. Si voltò verso il padre imbalsamato nella sua eccentri-
ca bara. Non le avrebbero creduto. Loro non avrebbero
capito. Ma lei sapeva di avere ragione. E quando un chierico stanco si appoggiò al feretro facendo oscillare la salma,

alla donna sembrò che anche il Grande Scomunicato annuisse.

"Ho smesso di odiarlo e di provare disprezzo per le squallide vicende di questo paese... e di essere disgustata dalle immonde violenze che ho dovuto subire... e ho sopportato i miei tormenti e sottovalutato le mie gioie quando ho capito..."

La folla trattenne il fiato.

"...quando ho capito che io non esistevo veramente... che voi non esistevate... che questo paese non esisteva come non esiste nulla di ciò che crediamo nostro."

Il respiro della gente si sciolse, sibilando tra i denti, facendo vibrare le labbra, come tanti velenosi peti. La folla non sapeva se essere divertita o spaventata.

"Perché tutti noi siamo il frutto del sogno perverso del Grande Scomunicato, dei pupazzi senza vita, che si sono agitati in virtù della volontà d'un altro. Ma ora è morto. E presto tutti noi svaniremo, svaporeremo, ci dissolveremo. Mio padre è stato le nostre fondamenta e noi adesso siamo senza fondamenta. È finita." Li guardò a lungo – più a lungo che poté – cercando di fissarsi nella mente i loro lineamenti. Ma la nebbia incombeva. "Addio."

Calò un silenzio denso. E in quel surreale silenzio, il popolo sciamò per le macerie polverose del paese e accompagnò il feretro del dittatore su per la collina. Lì tutti i paesani assistettero all'inumazione della salma nella tondeggiante stanza centrale del mausoleo che il Grande Scomunicato s'era fatto costruire per le sue spoglie mortali. Quando tornarono indietro ogni centimetro di quell'erba così verde era stato calpestato e cominciava ad appassire.

Rimase solo la figlia, vestita a lutto, con i piedi saldamente ancorati alla terra smossa e devastata. Era in mezzo a un cerchio di ventiquattro lapidi. Il padre le aveva raccontato chi giaceva lì sotto. Quei ventiquattro Mentecatti, come li chiamava il Grande Scomunicato, erano stati gli unici esseri ammessi sulla collina. Improvvisamente le parve di sentire uno scalpiccio di cavalli, delle risate, delle voci festose. E poi una bestemmia.

"Sei tu, vero?" domandò lei.

Siccome nessuno le aveva risposto, si distrasse e raccolse un po' di quella terra grassa e nera e l'annusò. Ne masticò qualche granellino tanto per ricordare com'era stata un tempo. Ma già cominciava a sapere di sabbia.

"Il deserto sta tornando a riprendersi quello che era suo," mormorò.

Poi lasciò che lo sguardo spaziasse sull'intero creato, come un tempo aveva fatto il Grande Scomunicato, senza cercare risposte. Così, tanto per guardare. E quando i suoi occhi acuti tornarono alla collina la trovarono meno verde.

"Hai fatto un bel casino," disse con una commovente dolcezza.

UN TALENTO NATURALE

Quando il Grande Scomunicato frequenta il seminario del male e arriva al successo.

Il Grande Scomunicato era nato cinque anni prima che si celebrasse il centenario della scoperta del mondo nuovo. Era il settimo e ultimo figlio di una di quelle famiglie che componevano la cosiddetta nobiltà di mezzo, ovvero quei benestanti campagnoli più attenti ai raccolti e al bestiame che agli intrighi e alle mondanità cittadine e che, in sostanza, assomigliavano in tutto e per tutto a dei commercianti di granaglie.

Il Grande Scomunicato – il cui vero nome è andato perso – aveva solo sei anni quando fu convocato dal padre nella biblioteca di casa.

"Figliolo," esordì l'uomo, "tu sei l'ultimogenito e come è tradizione sarai consacrato alla Chiesa. Perciò preparati perché domattina partirai alla volta della Città Santa dove studierai per diventare prete. E voglio che tu ti faccia valere, sappilo."

Il bambino annuì. Aveva imparato presto che per accontentare la gente era sufficiente dire di sì.

"Sei sveglio e me ne compiaccio," continuò il padre. "Ora dimmi: di che colore è luglio?"

Il figlio abbassò lo sguardo. 'Dimmelo tu, e anche in fretta, perché ho lasciato una lucertola infilzata alla porta del fienile e voglio finire di torturarla prima che muoia,' pensava.

"Dorato," fece il padre. "Il dorato luglio del grano."

"Ah, sì…" replicò il figlio, annuendo.

"E l'autunno?"

"L'autunno…"

"Ascoltami bene," disse il padre e si sedette in una poltrona. Poi attirò il figlio a sé, lo prese per le spalle e guardandolo dritto negli occhi, con enfasi, riprese daccapo. "Il dorato luglio del grano e il verde autunno delle olive battute sui rami contorti. Il rosso acceso dei canti contadini riscaldati dai falò serali e il grigio bagliore metallico dell'aratura. Il marrone profumato di muschio umido che le zolle rivoltate rilasciano dopo averlo decantato per mesi nelle loro viscere e il canto boreale del gallo che si tinge d'arancione. Il pallido candore screziato di sangue delle uova fresche e il color paglia dell'aromatico sterco di vacche e cavalli. Hai capito?"

Il bambino annuì.

"L'hai memorizzato?"

Di nuovo il bambino annuì.

"Bene. È tutto quello che dovevo insegnarti, figlio mio," concluse il padre. "Non c'è altro. Nient'altro. Questa è la tua eredità. Il tesoro dei colori del mondo. È tutto quello che ti lascio. Perciò addio." S'alzò e andò a controllare come procedeva la macina.

Il bambino tornò al fienile, finì di torturare la lucertola infilzata e da quel giorno non rivide mai più suo padre.

La mattina dopo un frate lo prelevò e se lo portò in un convento alla periferia della Città Santa.

Se è vero che all'età di undici anni il bambino padroneggiava il latino di Cicerone, è vero anche che viveva in un posto umido e schifoso, privato di servitori e valletti, di una sana alimentazione e di coperte calde. E trovandosi il convento alla periferia della Città Santa, le strade non erano lastricate così che d'inverno la pioggia le tramutava in viscidi corridoi di fango argilloso che finiva per intasare le fogne a cielo aperto scavate ai due lati della via, rendendo l'aria ancor più pesante e malsana di quel che già era. In quel periodo nessuno s'avventurava fuori casa – ad eccezione dei giovani novizi – per il serio rischio d'impantanarsi in quel fiume colloso, d'un marrone intenso rischiarato qui e là dal muco del tufo, che nascondeva nelle sue viscere – secondo le credenze popolari – gli ingredienti che le streghe distillavano per generare le terribili epidemie di peste nera.

Forse fu proprio quell'aria malsana che gli inquinò l'anima, seccò le radici del suo essere e fece crescere viziata e storta la sua natura. O forse fu perché, mentre formalmente i maestri della Chiesa gli insegnavano l'amore, il Grande Scomunicato imparava unicamente l'odio per ciascuno di quei suoi aguzzini. Comunque sia, arrivò a scoprire il nucleo del male che albergava in sé. E a quel male s'attaccò morbosamente e risolutamente, perché era l'unica cosa che comprendeva. Lo coltivò con tanta cura che all'età di quindici anni – quando fu trasferito in un convento della congregazione dei Lazzaristi per impratichirsi nell'arte del sermone – aveva ormai maturato la certezza di non possedere altra qualità che il male. E il male, in quella Santa Città, sembrava essere la sua miglior raccomandazione.

Il Grande Scomunicato, pur eccellendo in tutto ciò che studiava, era però apparentemente destinato a una carriera lenta, fatta di stenti ed elemosine. La povertà lo affliggeva. La privazione lo mortificava. La vita grama alla quale era stato consacrato gli appariva invivibile. E così, per provare a guadagnare del denaro, la domenica andò a predicare in una chiesetta fuori mano. Il parroco, un uomo volgare e illetterato, era ben felice di cedere il pulpito al brillante giovanotto. A fine messa raggranellava molte più elemosine di quanto gli fosse mai riuscito.

Avvenne che durante le sue prediche, per una sventurata coincidenza, il Grande Scomunicato notasse in prima fila, assidua spettatrice, una giovane. Il volto angelico della ragazza, dal quale traspariva un'immensa grazia, assecondava ogni più piccola sfumatura dei suoi discorsi, sottolineandola con delicatezza, senza enfasi né isterismi, attraverso l'inarcarsi d'un sopracciglio o il corrugarsi delle labbra, il contrarsi oppure il dilatarsi della pupilla, o ancora in un impercettibile impallidire, e si manifestava persino in un moto repentino, subito trattenuto, del piede sotto la gonna. Il Grande Scomunicato, beandosi di quella corrispondenza, cominciò a vedersi come un musicista e si convinse che la ragazza fosse lo strumento su cui eseguire i propri virtuosismi.

In breve dimenticò l'uditorio e si concentrò sulla giovane.

Se da un lato i suoi sermoni – osservò come prima cosa il Grande Scomunicato – infiammavano sinceramente il cuore della donna, d'altro canto non producevano però un effetto permanente. Ogni domenica doveva ricominciare tutto daccapo. L'omelia divenne la sua ossessione. Gli dedicò ore e ore, trascurando lo studio del diritto canonico, seduto alla scrivania circondato dai libri, alla luce tremula delle candele che puzzavano di sego. Al rilievo dello stile cercava d'associare l'elevatezza del concetto, puntando alla perfezione attraverso la sottigliezza delle argomentazioni. Scriveva lo stesso sermone due, cinque, venti volte finché gli pareva pronto, facendo in modo che le proposizioni lo abbellissero, che le obiezioni lo ravvivassero, che i misteri lo rendessero pregnante, le riflessioni profondo, le esagerazioni fantastico, le allusioni insinuante, i fervori pungente, le trasmutazioni sottile; che le ironie gli dessero sale, le antitesi fiele, i paradossi zucchero, le sentenze pepe; che le similitudini lo fecondassero e le analogie lo facessero risaltare. E in questo labirinto perse la ragione.

"Potrò mai comporre un'omelia che resista all'usura del tempo?" continuava a domandarsi. "Potrò mai aprire una ferita che non si rimargini?"

Le sue esibizioni dal pulpito – smarrito in questa morbosa ricerca – divennero talmente infuocate che in breve tempo la notizia si sparse per l'intera Città Santa e una gran folla, affamata d'emozioni ma troppo indigente per acquistare un biglietto di teatro, si riversò nella chiesetta un tempo disertata. Il parroco svuotava con gli occhi lucidi le cassette dell'elemosina zeppe di monete. Il Grande Scomunicato accumulava denaro, ma ora tutta la sua attenzione era per la giovane donna.

"La ferita eterna…" mormorava con la noiosa ripetitività di una bigotta che sgrani il rosario, "la ferita eterna che mi garantirà eterno accesso al tuo cuore…" sproloquiava senza posa, e i suoi sermoni – che apparentemente trasmettevano santi e degni concetti – a mano a mano che il morbo s'impadroniva di lui, si caricarono di una straordinaria forza maligna.

In capo a poche domeniche la resistenza della giovane fu fiaccata. Il trasporto religioso che inizialmente l'aveva animata fu corrotto da un sentimento più terreno e la poveretta s'invaghì perdutamente del predicatore. Un giorno, vincendo la sua naturale castità, terminata la funzione, abbordò il suo amato dietro la chiesa.

"Ferma lì," la bloccò il Grande Scomunicato prima che quella potesse dire una sola parola. "Sono debole, non tentarmi," mentì, intuendo che ormai l'aveva in pugno.

La settimana dopo la giovane tornò alla carica. E di nuovo il Grande Scomunicato la prevenne.

"È solo dando che si riceve. Tu vorresti qualcosa di molto prezioso da me e non sei neanche venuta con un piccolissimo omaggio. Se tu fossi una donna onesta, almeno nell'amore, mi doneresti tutto quello che hai, prima di pretendere," e detto questo il Grande Scomunicato se ne andò sghignazzando tra sé e sé. 'Ci siamo, ci siamo,' pensava tornandosene in convento.

La giovane pianse a lungo nell'algida oscurità della chiesa. Ma neanche quel freddo riuscì a raggelare i suoi sentimenti.

Trascorsero altre due settimane e con gli occhi gonfi, rossi e spiritati, tanto la passione la stava consumando, si presentò di nuovo al Grande Scomunicato. "Ho venduto tutte le povere cose che possedevo, mio signore. La povera casa che mi aveva lasciato mio padre è venduta. È venduto il povero corredo che mia madre aveva cucito per lunghi anni… e i poveri vestiti che la mia padrona mi aveva regalato… e i poveri anelli e le povere collane che mia nonna aveva conservato per me. Ecco, è tutto tuo," e gli allungò una borsa di cuoio che tintinnava d'oro.

"Sento che tutte queste povertà hanno prodotto almeno una ricchezza," ridacchiò il Grande Scomunicato e aggiunse: "Siediti dove siedi sempre, brucerò il tuo cuore con fiamme che non potrai sopportare." Si voltò e la lasciò lì.

La donna era pronta a dannarsi. Non desiderava altro.

Così si sedette e aspettò fremente che cominciasse la funzione.

Proprio quel giorno un cardinale aveva deciso di ascoltare il predicatore che radunava le masse della Città Santa. Entrò col suo seguito a messa iniziata e ordinò che gli sgombrassero un posto nella panca in prima fila.

La prima panca era quella su cui s'era seduta in trepida attesa la giovane. Il cardinale le si piazzò accanto senza notarla.

Quando fu il suo turno, il Grande Scomunicato salì lentamente i gradini del pulpito, inspirò profondamente e puntò lo sguardo sulla giovane che pendeva dalle sue labbra. Parlò e parlò. E quando sembrava prossimo a finire ricominciava a parlare, titillando, sferzando, cambiando posizione, penetrando le zone più oscure, carezzando e picchiando, impennandosi e sciogliendosi, a volte suadente, a volte impetuoso come un lottatore.

Quando il sermone fu concluso, nella chiesetta di periferia si erano verificati due eccezionali eventi.

Il primo fu che la giovane si rese conto che la straordinaria predica era condita di passione e perversione – e in verità le aveva scosso il corpo come un amplesso – ma non c'era nemmeno una lontanissima traccia d'amore. Così, ormai irrimediabilmente compromessa e dannata, s'accasciò a terra, senza un gemito, col petto spaccato in due, come se le avessero dato un'accettata. Il cuore penzolava fuori dello squarcio, scuro, immobile. Sembrava la lingua di un cane stremato.

Il secondo fatto, invece, non fu notato da nessuno. Ciononostante cambiò radicalmente la vita del Grande Scomunicato. Infatti il cardinale, a mano a mano che il sermone gli avviluppava l'anima, era entrato in contatto con la pura malvagità del predicatore.

Il giorno dopo lo introdusse alla Santa Corte e decise di farne il suo segretario e consulente.

E questo fu l'inizio dell'inarrestabile ascesa del Grande Scomunicato.

L'ESILIO

*Quando il Grande Scomunicato si abbandona all'ingordigia
e viene cacciato dalla Città Santa.*

Per due interi semestri il Grande Scomunicato fece il
segretario del cardinale. Scrisse con straordinario talento
richieste d'udienza e lettere suasorie, dimostrative, giudi-
ziali e anche mercantili. In quei due semestri le ricchezze
del cardinale raddoppiarono. E aumentò anche la sua
influenza alla corte del Papa. Ma nessuno si convinse mai
che fosse merito suo. Ognuno individuò nel segretario la
sua forza e se lo contesero.

Vinse il più in alto di tutti. Il Grande Scomunicato
divenne così Direttore dei Segretari di Sua Santità. Gli ci
volle un altro anno soltanto, in seguito, per diventare Con-
sigliere Privato di colui che regnava su tutto il mondo spirituale dell'epoca. E un anno ancora trascorse per ricevere
la nomina di Tesoriere dell'eminentissima industria ecclesiastica, il che in sostanza voleva dire che aveva le chiavi
della cassa.

A questo punto della sua vita il Grande Scomunicato
avrebbe potuto dirsi appagato. Le privazioni e gli stenti

erano solo un ricordo. Il lusso non era più un miraggio. Ma il Grande Scomunicato, in quel periodo, constatò che la sua fame non conosceva sazietà. Inizialmente aveva creduto di puntare alla ricchezza e al potere, ma poi scoprì che commettere un'ingiustizia, una violenza, un sopruso, un inganno, era di per sé un piacere, al di là di quel che fruttava.

Nella sua nuova posizione di Tesoriere, cominciò con il varare una radicale riforma delle tasse. A quel tempo il popolo cominciava ad agitarsi perché la pressione fiscale s'era fatta troppo gravosa e già molte tonache erano state inzaccherate da lanci di fango e sterco, materie prime che non mancavano mai in città. Il Grande Scomunicato osservò che questa mania di protestare nasceva dal fatto che ogni singolo dazio era piuttosto elevato. Era solo una faccenda di forma, pensò. E poiché la forma era plasmabile, l'importante era assicurarsi che non cambiasse la sostanza, che i sudditi venissero comunque spremuti fino all'ultima goccia. Così nel giro di una settimana produsse ben ventinove proclami nei quali annunciava la riduzione di altrettante tasse. I banditori ecclesiastici giravano senza posa per i mercati e per le strade urlando a squarciagola le buone nuove, sovrastando il fragore delle ruote ferrate dei carri. Finché non ci fu un solo suddito che non avesse ragione di gioire.

"Ma che diavolo stai facendo?" domandava preoccupato il coro dei vescovi e cardinali che temevano di dover stringere i cordoni. "Vuoi ridurci alla fame?" dicevano ripetendo quell'espressione che fino alla settimana prima era stata prerogativa del popolo.

Il Grande Scomunicato ghignava sornione, si chiudeva nella sua stanza e consumava litri d'inchiostro e ceralacca per la seconda fase, ormai prossima. Cominciò con una piccola tassa sul peperoncino, una spezia pruriginosa che ancora in pochi usavano. Il popolo scrollò le spalle. Poi venne l'imposta sulle patate. Anche quella, bassa. "Cibo per i porci," commentò il popolo e ancora scrollò le spalle. Poi, a raffica, le piccole, insulse tasse aumentarono, invadendo un po' tutti i settori.

"Spiccioli," ridacchiava il popolo.

Ma piano piano, in capo a due mesi, le tasse divennero così tante, e ognuna così misera, che non si riusciva più a tenerne il conto. Il popolo, a quel punto, aveva sentito puzza di bruciato, ma era tardi. A fine mese c'era appena di che pagare i fornitori e dar da mangiare alla famiglia.

La più fulgida invenzione del Grande Scomunicato in fatto di tasse, però, fu lo sfruttamento legalizzato della prostituzione. Riuscì, cioè, a tassare anche il meretricio, nonostante l'aspra condanna morale dell'antico mestiere da parte della Chiesa. Ma il Grande Scomunicato non si fermava davanti alle questioni morali. A fronte di un regolare pagamento del dazio garantì tali e tanti privilegi alle salariate del sesso che quasi tutte scaricarono il loro lenone per lasciarsi derubare più volentieri dal supremo e legittimo protettore: Santa Madre Chiesa. I guadagni, anche in questo caso, raggiunsero vette ineguagliate nella storia ecclesiastica e furono in parte investiti nella lastricazione di due importanti passeggiate del centro cittadino che si snodavano lungo il fiume. A tal proposito si racconta che un giorno una nobildonna, passeggiando per una delle due strade, una ripetta, incontrò una prostituta dall'aspetto assai miserevole. La dama si fece da parte e, con un grande inchino che l'altra commentò spalancando sorpresa la bocca priva di denti, disse: "In qualsiasi altro luogo saresti tu a dovermi cedere il passo, signora puttana, ma qui vanti assai più diritti di me. Questa via è tua."

L'intero apparato ecclesiastico, in seguito a quei successi, riconobbe al Grande Scomunicato un trionfo degno d'un condottiero d'altri tempi. Se le onorificenze disponibili fossero finite, c'è da supporre che ne avrebbero inventate di nuove solo per lui.

Ma il Grande Scomunicato non s'accontentava. La fame del male continuava a roderlo dentro.

Fu così che un giorno cominciò a coltivare l'ambizione di sostituire il Santo Padre nell'esercizio delle sue funzioni. E non è detto che non ci sarebbe riuscito se non avesse commesso un errore fatale e non si fosse fatto così tanti nemici tra i suoi colleghi, umiliandoli e offendendoli con la sua arroganza.

Uno dei pochi comandamenti che il Grande Scomunicato non aveva trasgredito da quando era stato ammesso a corte era quello che riguardava la fornicazione. Aveva scarso interesse per le faccende sessuali. Sicché tanto più si crucciò quando si verificò lo sventurato avvenimento che ne causò la cacciata dalla Città Santa.

Qualche mese prima il Santo Padre aveva perso il suo anello. Si mormorava che l'avesse buttato al fiume lui stesso per ottenerne uno nuovo e più prezioso, mozione che il consiglio aveva bocciato. Sta di fatto che un giorno due cardinali fecero irruzione negli appartamenti del Grande Scomunicato, con una sciocca e maleducata foga, per avvertirlo che gli stava per essere conferita una nuova onorificenza. Lo trovarono in mezzo alla stanza, in piedi, e di fronte a lui stava inginocchiata una cortigiana assai nota per le sue particolari tendenze. La donna aveva tirato fuori dal vestito i seni, che ciondolavano come due budini, e si strusciava la mano del Grande Scomunicato sulla pelle, arrossandosi i capezzoli con il grosso anello che l'amante aveva al dito.

I due cardinali riconobbero subito il pacchiano gioiello. "L'anello di Sua Santità!" esclamarono all'unisono.

Per la prima e unica volta in vita sua, il Grande Scomunicato balbettò, sentendosi perso.

Ma già le guardie accorrevano, chiamate a gran voce dai cardinali, e lo afferravano per le mani e i piedi e lo trascinavano davanti al capo dei capi.

"Volevi usurpare il mio trono?" esordì il Santo Padre. "E va bene, tienitelo quell'anello, se ti fa sentire così importante," e questa fu la prova che era stato proprio lui a sbarazzarsi del gioiello. "Non ti sarà sufficiente, però, per diventare me. Tu sei condannato a vagare in eterno. Non sarai squartato né da un boia né dalle macchine della tortura, non ti sarà torto un capello né sarai spogliato di quello che hai indosso, anello compreso. La divisa di vescovo e l'anello del padrone, questo è il bottino che la tua avidità ha prodotto e che io non ho intenzione di levarti. Vagherai fuori dalle Mura Sante senza trovare pace, con quel simbolo infilato al dito. Buon per te se riuscirai a sopravvivere," conclude, pronunciando una delle più spietate condanne che a memoria d'uomo si ricordasse. Poi s'alzò dal suo trono ingioiellato, si tirò su la tonaca fino alle ginocchia e, mentre le guardie tenevano in posizione il malfattore, gli diede la sua ultima benedizione sotto forma di un poderoso calcio in culo.

Ed ecco come fu cacciato ignominiosamente il Grande Scomunicato.

Per tutta la sua vita avrebbe rammentato ogni particolare di quell'ultimo tragitto che l'aveva costretto a lasciare la città, madre santa e ventre corrotto. Chiudeva gli occhi e rivedeva le mura, maestose e tetre, in alcuni punti squadrate com'erano state concepite, in altri rose dalle radici della parietaria, più scure e umide alla base, dove la popolazione maschile le irrorava d'urina, con le buie nicchie che s'aprivano ogni venti passi ormai ridotte a miserabili tempi pagani alla dea merda e alle sue ronzanti sacerdotesse.

"Ci saranno mai altre mura che mi accoglieranno?" si domandò varcandole e lasciandosi superare da un carro che trasportava cadaveri. Gli parve un segno, come se le anime dei dannati di Sodoma e Gomorra avessero organizzato per lui quell'ultimo corteo d'addio. S'accodò al carico e camminò, senza sapere dove stesse andando, finché l'odore marcio dei corpi in decomposizione divenne insopportabile e gli marchiò per sempre le narici. Davanti a lui si apriva la grande fossa comune. S'affacciò sul precipizio e in fondo alla buca vide che i cadaveri erano decine e decine, uno sull'altro, ammassati disordinatamente. Due galeotti spalavano la calce viva impastata con la terra per ricoprirli. L'attenzione del Grande Scomunicato fu attratta da una donna nel mucchio. Aveva il piede di un altro cadavere infilato per metà nella bocca spalancata, la mascella slogata, piegata da un lato, un occhio aperto e l'altro chiuso. Il sudario che l'aveva pietosamente coperta era volato via. Uno dei galeotti, ridendo, le palpò un seno ma non le levò di bocca il piede dell'altro cadavere. Poi riprese a spalare e la donna scomparve, lasciando una impercettibile traccia di sé nelle forme tonde della terra, che la ricopriva come un nuovo sudario nel quale si sarebbe dissolta.

Fu allora che il Grande Scomunicato giurò che avrebbe riservato al proprio cadavere un trattamento ben diverso e che avrebbe lottato in vita per non doversi poi trovare in bocca, da morto, un alluce estraneo. E per questa ragione anni dopo, oltre al paese, progettò e edificò il mausoleo in cima alla collina erbosa nel quale avrebbero riposato le sue rigide spoglie mortali.

IL RANDAGIO

Quando il Grande Scomunicato vaga per dieci anni prima di trovare un rifugio.

Il Grande Scomunicato aveva ventinove anni quando fu cacciato dalla Città Santa. E trentanove quando trovò finalmente un posto in cui fermarsi e mettere radici. Nei dieci anni tra una tappa e l'altra camminò, corse, si arrampicò, cadde, arrancò e non si riposò mai.

Il creato raggiungibile a piedi o in nave o a dorso di mulo era circoscritto, per quanto vasto potesse sembrare agli esploratori. E la notizia della sua condanna e scomunica fece il giro di quel piccolo mondo in un batter d'occhio, affidandosi agli editti, alle chiacchiere e agli informatori, ai diffamatori e ai cantastorie, ai piccioni viaggiatori e alle comari. Ovunque il Grande Scomunicato arrivasse, la sua infamia l'aveva preceduto, il suo nome era già noto.

Andò a nord, all'inizio. Camminò per qualche giorno, con l'anello papale al dito e la veste di porpora e merletti ricamata d'oro. Incontrando sulla sua strada solo gentaglia che l'insultava si consolò pensando che, in definitiva, era ancora nelle vicinanze della Città Santa. A mano a mano la situazione sarebbe migliorata, prevedeva. Perciò accelerò il passo. Arrivò al mare e provò a imbarcarsi ma non riuscì a convincere né i pescatori né i capitani dei vascelli all'ancora. I più lo prendevano a male parole, gli sputavano in faccia e gli tiravano dietro pesce marcio.

'Sono ancora troppo vicino,' pensava.

Riprese a costeggiare, arrancando su spiagge sabbiose e su rocce aguzze, nere e scivolose d'alghe. Salì e salì, valicò nuovi monti che gli si pararono di fronte – col freddo, con la pioggia, con la neve e con la grandine – finché il mondo si gonfiò e sbocciò nel vero e proprio continente, un fiore grande e grosso, pieno di opportunità. Ma il Grande Scomunicato era preceduto dalla propria fama e perciò non aveva la possibilità di fermarsi perché la gente, appena l'avvistava, organizzava battute di caccia con forconi e falci affilate.

'Sono ancora troppo vicino,' pensava con sempre minor convinzione.

A mano a mano che dimagriva si rendeva conto che non esistevano radici appetitose né bacche saporite, che la natura era avara e odiosa come lui aveva sempre sospettato e che solo i cuochi sapevano camuffarla con salse e intingoli. La terra sapeva di terra, le foglie di foglie, le carogne di carogne. Se nessuno mangiava i topi una ragione c'era. E lo stesso valeva per i vermi. E se aveva sempre lodato il delicato scricchiolio dei gamberi fritti, adesso malediceva gli schianti delle corazze cheratinose di scarafaggi, maggiolini e scarabei. Gli dimagrì tutto al Grande Scomunicato, anche il naso carnoso che da allora rimase solo adunco. Persino le unghie smisero di crescere per risparmiare un inutile sperpero.

D'inverno la veste di porpora non lo proteggeva dal gelo e d'estate i fili d'oro di cui era intessuta si surriscaldavano ustionandolo. Quando pioveva non s'asciugava più e quando s'impigliava in un rovo si lacerava con disarmante facilità. In capo a pochi mesi s'era ridotta a una striminzita tunichetta dalla quale sbucavano fuori due gambe magre, graffiate, piene di cicatrici e pustole, con ginocchia ossute e sgraziate. Il giorno che inciampò nel cadavere di un lebbroso fu una gioia immensa. Lo spogliò, scrollò i vestiti e li indossò felice come se avesse trovato un tesoro.

All'inizio del suo pellegrinaggio il Grande Scomunicato trascorreva ore e ore a ripensare al passato e a maledire gli errori e la sfortuna. Ma dopo aver divorato migliaia di leghe cercando inutilmente di seminare il peccato di cui s'era macchiato, la sua stessa vita gli era venuta così a noia che il solo vedersi riflesso in una fonte gli dava il voltastomaco. Così la fece finita con tutto quel rimuginare: lasciò che il suo passato gli si sbriciolasse dietro, senza voltarsi. Si concentrò sul presente, solo sul presente. Che poi consisteva nell'onorare la condanna emessa dal Santo Padre: camminare.

Camminava e camminava. Consumando le poche energie che aveva occasionalmente racimolato qui e là, in un lichene o in un fungo che non l'avevano avvelenato. Consumando le più nascoste fibre vitali del suo corpo. E continuò a camminare anche quando pensò d'aver consumato tutta la sua anima e la sua natura. Camminava guidato dal proprio destino che aveva premeditato un lungo giro colmo di privazioni, di sconfitte e d'umiliazioni, solo per farlo arrivare in quell'angolo remoto del creato dove era stato stabilito che si fermasse.

Il Grande Scomunicato scoprì nuove città e nuovi mondi, ancora inesplorati. Ma nonostante fossero regioni non civilizzate, culture primitive che non sapevano nulla della religione alla moda, nonostante i politicanti del luogo non avessero mai sentito parlare di potere temporale della Chiesa, tutti quanti sapevano che il Grande Scomunicato era da scacciare come un appestato, come il più incallito dei bestemmiatori, come il più efferato dei delinquenti. Ovunque andasse tutti sapevano che era un commesso viaggiatore con uno sterminato campionario di corruzione e disgrazia. Perciò mongoli e indù e aborigeni e pigmei e vatussi e zulù, tutti continuarono a prenderlo a pietrate.

E il Grande Scomunicato camminò così tanto che un giorno non seppe più neanche da dov'era partito.

Al dito aveva sempre l'anello, pesante come un macigno, e non c'era stato nessuno in tutti quegli anni – né uno strozzino né un ricettatore – che avesse voluto anche solo toccarlo.

Un giorno – stavano ormai scadendo i dieci anni – il Grande Scomunicato s'era fatto una dormitina in cima a un'altura. Svegliandosi, decise di sbarazzarsi dell'anello.

"Porti troppa sfortuna," disse esasperato e lo lanciò in un dirupo.

In quel mentre un pastore che pascolava il suo gregge vide rotolare sull'erba uno strano oggetto luccicante. Si avvicinò e lo riconobbe subito perché gli armenti nei pressi dell'oggetto maledetto stramazzarono a terra, come colpiti da un fulmine. I loro velli fumavano ancora, spandendo nell'aria uno sgradevole odore, quando il pastore avvistò anche il Grande Scomunicato. Come una furia chiamò a raccolta i suoi figli e raccolse l'anello con una lunga canna. Poi acciuffarono il Grande Scomunicato, gli diedero una prima ripassata a suon di legnate e, legatolo a un albero che immediatamente si seccò, gli puntarono sotto il naso l'estremità della canna sulla quale brillava il gioiello.

"Porco boia," disse il padre pastore, "m'hai fatto morire quattro pecore, due agnelli e un montone. Rimettiti questa disgrazia al dito che poi t'insegno io a non farlo mai più." E intanto affilava un coltellaccio.

Il Grande Scomunicato si sentì perso. 'Che ho camminato a fare per dieci anni? Per finire scannato da un pecoraio? È questa la risposta a tutte le domande?' pensava.

"Te lo infili o no questo anello?" continuavano a dire i pastori.

"Ma come posso?" rispose il Grande Scomunicato. "Ho le mani legate."

I pecorai gli slegarono le mani, tenendolo sotto tiro con i coltellacci. Il Grande Scomunicato si infilò l'anello al dito e poi, di scatto, lo agitò davanti al volto dei pastori, quel tanto che bastò per farli indietreggiare di un paio di passi. E contando su quella sorpresa, cominciò a correre a perdifiato.

"Ci scappa!" urlò il padre pastore e gli si mise alle calcagna con tutti i figli.

Per quanta voglia avesse di sopravvivere, il Grande Scomunicato sarebbe stato certamente raggiunto dai suoi inseguitori, temprati da pasti regolari e sane dormite. Ma si verificò un fatto incredibile. Quando le lame dei pecorai stavano ormai per affettarlo, si alzò una strana nebbia, così densa da sembrare solida. Il Grande Scomunicato ci si buttò dentro a capofitto. I pastori lo imitarono. Dapprima lo seguirono a udito, poi i figli si piegarono in due, in cerca di tracce a terra e il padre puntò il naso in alto, per fiutarlo nell'aria. Ma in breve il Grande Scomunicato si rese conto di averli seminati. In lontananza sentì il vecchio pastore che diceva: "Non ha neanche odore. È il figlio del demonio."

Quando la nebbia si diradò, senza un solo alito di vento e senza che il sole brillasse in cielo, il destino mostrò al Grande Scomunicato la strada che l'avrebbe condotto in porto.

Era una strada arrotolata in molte anse. Come il letto di un fiume, ma non c'era acqua. O come una strada di montagna, piena di tornanti, anche se non ce n'era nessun biso-gno, poiché si snodava in una piana desertica, piatta come un enorme tavolo di sabbia, infestato dalla forfora di pic-cole rocce friabili.

Ebbe un presentimento. Alle sue spalle prese a soffiare lo scirocco. Sospinto dal vento, il Grande Scomunicato zig-zagava seguendo le illogiche curve. A ogni inutile tornante si fermava, si voltava, guardava indietro, ma non lontano, solo le sue impronte che il vento già disperdeva, con uno sguardo indagatore e triste al tempo stesso. A volte si chi-nava, passava le dita nella terra arida e bianca della strada. Frugava nel suo passato prossimo, quasi preoccupato di non averlo capito, di averlo frainteso, spaventato all'idea che quel magrissimo presentimento gli morisse tra le mani. Frugava nella terra e cercava le sue future radici. Raspava, poi si alzava, camminava fino alla curva successiva e di nuovo cercava. Forse qualcosa stava cambiando, si diceva. Ma non s'affrettava. C'era, in quella ponderata lentezza, la necessità interiore di accettare la remota possibilità di un cambiamento.

Ma intanto avanzava, lega dopo lega, finché calcolò che fossero dodici, alla fine della giornata. E in fondo a quelle dodici leghe, come un miraggio, apparvero dodici capanne di paglia e fango. Era buio, perciò non vide che da quel punto in poi la strada diventava dritta come un fuso né, se avesse potuto osservarla, sarebbe stato in grado di misura-re che se ne andava dritta in quel modo nella desolata piana per altre dodici leghe esatte. L'unica cosa che notò furono i dodici sottili fili di fumo che salivano al cielo, un cielo senza stelle né luna quella notte, come il giorno premoni-tore era stato senza sole. E ognuno di quei dodici fili di-sperdeva nell'aria un aroma di zuppa di farro e fagioli che si consumava sul fuoco. E in quel buio pesto i mestoli di legno cozzavano all'unisono contro le pareti di rame e strusciavano sul fondo bollente dei paioli.

"E ci saranno dodici grassone attaccate a quei dodici mestoli," contò sbavando il Grande Scomunicato. "E i paioli saranno appesi a dodici catene, di dodici anelli ciascuna, fissate a dodici travi proprio al centro delle dodici capanne," e tutte quelle dozzine ripetute così tante volte divennero nella sua mente l'infinito e l'infinito gli fece dimenticare la cautela che la sua esperienza decennale gli aveva insegnato e s'arrese alla follia.

Senza più ricordare le pietrate e gli insulti, cominciò a correre, gridando e implorando, bestemmiando e ridendo. Batté a tutte le dodici porte e fece tanto strepito che i dodici capifamiglia credettero di morire per lo spavento. E quando ebbe concluso il giro, il Grande Scomunicato ricominciò a picchiare dal primo al dodicesimo uscio e di nuovo e di nuovo finché si accasciò al centro del piccolo cerchio di capanne, accanto a un pozzo che sapeva di acqua purissima.

Allora, quando fu sceso il silenzio, i dodici capifamiglia, uno alla volta, infilarono il naso fuori dalle capanne. Si guardarono in giro, ancora impauriti. Poi tutti insieme si ritrovarono al pozzo, cercando nel buio, finché uno di loro inciampò nel corpo scheletrico del Grande Scomunicato.

"Un cucchiaio di minestra di farro e fagioli, vi prego…" sussurrò allo stremo il Grande Scomunicato, rinvenendo per un attimo. "Poi scannatemi, se volete… chi se ne frega…"

UNA VECCHIA FACCENDA

Quando il Grande Scomunicato si risveglia in un mondo dimenticato dagli Dei.

Si dice che in principio esistessero solo gli Dei e le Storie, e che gli uni e le altre vivessero della propria luce, senza bisogno di un perché.

Ma col passare del tempo le Storie divennero invidiose degli Dei e gli Dei delle Storie. Per noia, come spesso succede. E così, per imitarsi e superarsi in una gara priva di senso, le une e gli altri si fecero sempre più complessi. Gli Dei, per parte loro, crearono il mondo, di cui in realtà non avevano la minima necessità. Le Storie invece inserirono alcuni personaggi secondari nelle proprie trame, fino a quel giorno popolate solo di eroi. Ma quando si resero conto che ogni sforzo era inutile e che nulla potevano aggiungere alla propria perfezione, gli Dei ripudiarono il mondo e le Storie si liberarono dei personaggi minori, abbandonando le loro creature a se stesse.

Il mondo divenne il giardino nel quale i personaggi secondari, senza farsi domande, vivevano un'esistenza serena, priva di conflitti.

Gli Dei e le Storie dapprincipio se ne stavano buoni a guardare, ridendo di quegli esseri tanto patetici e tanto imperfetti. Poi però compresero che sia il mondo sia i personaggi minori non avevano coscienza alcuna dei loro creatori, né potevano provare gratitudine o paura. Questa autosufficienza li offese. Così decisero di marchiare il mondo e i personaggi minori con una malattia dalla quale non potessero mai più guarire e che li rendesse eternamente dipendenti. E convennero che il peggiore di tutti i morbi era la speranza di ricongiungersi alla luce.

Non è dato sapere se lo fecero scientemente o se fu una semplice distrazione, sta di fatto che gli Dei e le Storie non contaminarono con il virus letale della luce – e di conseguenza dell'insoddisfazione – quel gruppo di dodici capanne di paglia e fango che il Grande Scomunicato aveva scoperto alla fine dei suoi dieci anni di pellegrinaggio.

Il risultato fu che, lasciati a se stessi, i componenti delle dodici famiglie – in tutto ventiquattro personaggi minori equamente divisi in maschi e femmine – maturarono una loro particolare armonia, fondata su una assoluta staticità. In sostanza non vennero mai a conoscenza delle loro origini né dei perché dell'esistenza e del creato. Conseguentemente dimenticarono di morire. E non dovendo morire non ci fu ragione perché la loro natura li predisponesse a figliare. L'unica cosa che rimase loro fu il brandello di storia dalla quale provenivano. E in questa si realizzarono. Era stato scritto che mangiavano zuppa di farro e fagioli? E loro non mangiavano altro che zuppa di farro e fagioli. Erano sposati e fedeli? E sposati e fedeli continuavano a essere. Organizzavano feste e gare di cavalli mitologici? E quello facevano con i loro dodici mitologici cavalli. E poiché così era stato scritto, c'erano dodici tornei in quel lasso di tempo che il mondo civilizzato aveva deciso d'ingabbiare in un anno.

L'armonia che avevano creato con il tempo, con la terra, con le stagioni, con il sole e la luna era frutto del caso. E forse in virtù di questo si divertivano così tanto a fare sempre le stesse gare, gli stessi giochi, le stesse feste, a onorare sempre la stessa moglie o lo stesso marito, o a mangiare solo zuppa di farro e fagioli dal tempo dei tempi.

In questo luogo incontaminato, e tra questa gente pura, il destino aveva deciso che dovesse fermarsi il Grande Scomunicato.

Quando gli strani abitanti di questo angolo di mondo dimenticato da tutti decisero – seppur spaventati – di soccorrere il Grande Scomunicato e lo trasportarono mezzo morto in una delle capanne di paglia e fango, ebbero la sgradevole sensazione che qualcosa si fosse incrinato nel loro perfetto meccanismo. Ma la loro natura gentile gli impedì di sbarazzarsi di quel cancro. Al contrario si diedero da fare perché il Grande Scomunicato guarisse e si rimettesse in salute. Passò un lungo periodo, però, prima che il Grande Scomunicato uscisse dal coma nel quale era sprofondato.

La prima cosa che vide quando si riebbe, fu un volto sorridente al quale se ne aggiunsero altri ventitré, tutti altrettanto sorridenti. Il Grande Scomunicato rimase immobile, guardingo. Allora i ventiquattro abitanti delle capanne gli parlarono con voci soavi e premurose. Nessuno che lo insultasse. Nessuno che lo pigliasse a bastonate. Il Grande Scomunicato si tastò lo stomaco, la pancia, i muscoli. Era già ingrassato. Possibile che lì non avessero avuto notizia della sua infamia? Possibile che avesse trovato il suo porto? Possibile che fosse giunto finalmente il momento di riposarsi? Non osava credere a tanta fortuna.

Appena riuscì a parlare domandò alla donna che lo stava imboccando: "Dove siamo?"

"Qui," disse la donna.

E la stessa cosa risposero gli altri ventitré quando lo chiese loro. Così rinunciò. Né ebbe responsi intelligibili a domande tipo: "Non mangiate mai niente di diverso dalla zuppa di farro e fagioli?" oppure: "Quanti anni avete?" o ancora: "Chi è il vostro capo?"

I ventiquattro si rabbuiavano per un istante, di fronte a domande del genere. Si scambiavano occhiate perplesse aggrottando le sopracciglia e poi si mettevano a ridere. E ridendo se ne tornavano ai loro campi, dove coltivavano solo farro e fagioli, discutendo allegramente per il resto della giornata della nuova festa che stavano organizzando.

La natura spregevole del Grande Scomunicato era a riposo, o in letargo, e per molto ancora si godette le attenzioni disinteressate delle dodici famiglie che lo ospitavano a turno nelle loro capanne. Alla fine di quel periodo, però, il Grande Scomunicato sentì che i vecchi sentimenti tornavano a brulicare nel corrotto ventre della propria coscienza. E con quei neri pensieri tanto familiari, anche il sangue riprese a circolare con prepotenza. Le gambe cominciarono a prudergli e le natiche si ribellarono al letto o alla sedia a dondolo. Per la prima volta da quando era arrivato decise di uscire all'aperto.

La luce del sole lo accecò, le ginocchia gli tremarono, l'aria gli gonfiò i polmoni. Poi, piano piano, si assestò, trovò la naturale aderenza al suolo e si guardò in giro. Le dodici capanne erano collegate fra loro da corridoi chiusi, anch'essi di paglia e fango. E attraverso questi camminamenti lo avevano trasportato durante il coma e la degenza. Nessuna delle costruzioni aveva finestre ma solo una porta.

"Perché non aprite delle finestre?" aveva chiesto.

"A che servono le finestre? È più comoda la porta per uscire."

"Le finestre servono per guardare fuori…"

"Perché dovremmo guardare fuori? Ci sono sempre le stesse cose."

"…e per fare entrare la luce…"

"Bella questa, allora tanto varrebbe non costruire nemmeno il tetto."

"…e per cambiare l'aria."

"Con cosa?"

Per la seconda volta il Grande Scomunicato rinunciò alla discussione, irritato, e proseguì l'ispezione. Al di là delle capanne trovò una costruzione più grande, sempre di paglia e fango, dalla quale provenivano dei nitriti. Poiché durante la sua permanenza nella Città Santa s'era fatto una certa cultura sui cavalli ed era diventato un incallito scommettitore, chiese di visitare la stalla.

"Adesso non possiamo disturbarli, si stanno concentrando," gli dissero. "I cavalli correranno domani e potrai vederli in azione da lassù," e indicarono una collina.

Il Grande Scomunicato la notò solo allora. Era l'unica altura in tutta la desolata piana. Una cupola verdeggiante che prometteva frescura e un'aria frizzante.

"Ma perché non vivete lassù?" gli venne spontaneo di chiedere.

"Per non calpestare l'erba," fu la risposta.

"Già," commentò sconsolato il Grande Scomunicato. "E dove correranno i cavalli? Non ho visto un ippodromo."

"E quelle due piste cosa sarebbero allora?" dissero piccati gli abitanti delle dodici capanne.

"Quali piste?"

"Quella lì tutta curve che va a sud e quell'altra tutta dritta che va a nord."

"Ma non sono strade?"

"Non dire sciocchezze!" esclamarono divertiti, rotolandosi a terra per le risate.

Da quel giorno il Grande Scomunicato odiò con tutto il cuore le due strade che non erano strade ma piste, anche se da qualche parte dovevano pur condurre perché lui era arrivato lì proprio seguendone una.

VIETATO CALPESTARE L'ERBA

Quando il Grande Scomunicato spreca la sua occasione e si consacra definitivamente al male.

È fin troppo evidente che un uomo che si considerava civilizzato e che veniva dalla Città Santa non potesse comprendere o apprezzare l'assoluta purezza di quella gente. Per il Grande Scomunicato erano solo dei sempliciotti, della stessa stirpe degli sciocchi che in vita sua aveva già governato, truffato e plagiato.

Nonostante questo, l'indomani, mentre tutti insieme scalavano allegramente la vetta della verde collina, non poté fare a meno di sentirsi amaramente escluso da quella felicità, povera e completa nello stesso tempo.

"Siete sempre stati così felici?" chiese mentre arrancava su per lo scosceso pendio.

Due o tre uomini aggrottarono le sopracciglia, come facevano sempre quando non capivano una domanda o una parola.

"Risparmia le energie sennò arrivi in cima col fiatone," gli dissero le donne.

Il Grande Scomunicato non si commosse, perché non

era nella sua natura, ma ugualmente si incantò a osservare la delicatezza con cui camminavano, a gambe larghe e in punta di piedi, come se quell'andatura faticosa potesse preservare l'erba dal fastidio del loro peso. Quando raggiunsero la cima della collina, si sedettero nelle più scomode posizioni immaginabili pur di gravare il meno possibile sul terreno. Alcuni rimasero addirittura in piedi, appoggiati al tronco di un albero, con una sola gamba a terra e l'altra arricciata intorno alla coscia, in una imitazione di certi fenicotteri che il Grande Scomunicato aveva avvistato nel suo penoso peregrinare. Non uno di loro, per tutto il tempo che durò la gara e la festa, si lamentò, si massaggiò i muscoli indolenziti o le articolazioni anchilosate. Non uno si dimenticò di sorridere in quel modo che, a guardarlo meglio, non esprimeva felicità ma pace ed estasi.

Intanto i cavalli, dodici leghe più in là, appena visibili, si stavano disponendo a partire. Allora quello che era stato incaricato di organizzare la festa si alzò in piedi e modulò un lungo fischio. I dodici cavalli in gara fecero segno con la testa che erano pronti, scuotendo allo scirocco le folte criniere. Il Grande Scomunicato notò che non avevano cavalieri.

"Raccontaci la gara," dissero tutti, senza curarsi degli animali e concentrandosi invece sull'organizzatore.

"Bene," fece quello schioccando la lingua. "Come sapete tocca al nero vincere..."

"Sì, sì..." dissero gli altri agitando le mani in segno di noia per quegli inutili preamboli. Ma sempre sorridendo. Come se anche quello facesse parte del rituale.

"...e vincerà, statene certi. Vi ho organizzato una gara veramente speciale. Allora. Il nero, in partenza, inciamperà perché il baio gli taglierà la strada, sbandando, e lo butterà fuori, proprio contro quella cunetta di sabbia là..."

Tutti si voltarono a guardare la cunetta di sabbia.

"…perderà almeno mezza lega rispetto al gruppo…"

"Ooh!"

"Eh, sì. Mezza lega. E non s'è mai visto un cavallo recuperare mezza lega, vi pare?"

"No. Non s'è mai visto. Impossibile. Non ce la farà."

"Ma…"

"Ma…?" un coro pieno di infantile speranza.

"I nostri cavalli non devono solo dimostrare la loro capacità di tenere la strada in curva. Ho studiato anche una figura obbligatoria: a ogni tornante devono fare una capriola, pena la squalifica. E così ecco che gli undici cavalli arrivano al primo tornante. Due si impuntano, devono tornare indietro e ritentare la figura perché non gli va di essere squalificati. Intanto sopraggiunge il nero. Ed ecco che invece di mettere la testa a terra e piegare le zampe per fare la capriola, il nero spicca un balzo, s'arrotola in aria ed esegue un salto mortale…"

"Non è valido!"

"E chi l'ha detto? Dove sta scritto che uno deve fare una capriola per terra e non in aria? Nelle mie regole no di certo."

"Eccezionale!"

"Ed ecco come si lascia dietro i primi due avversari. E così succede nelle seguenti undici leghe per altri otto. In dirittura d'arrivo c'è il baio, davanti…"

"Ancora lui!"

"…che ha imparato il trucchetto del nero."

"Noo!"

"Eccome se l'ha imparato. E ha già fatto l'ultimo salto mortale. Il nero è dietro di un tiro di pietra. Manca mezza lega al traguardo, non sembra in grado di raggiungerlo… quando davanti al baio compare una lucciola."

"Una lucciola in pieno giorno?" domandò il Grande Scomunicato.

"Bravo. Ed è esattamente quello che si domanda il baio. Si distrae e rallenta per un attimo. Ma un attimo fatale perché il nero è lì, lo raggiunge e, nel testa a testa, lo batte per un'incollatura."

"Evviva!" gridarono tutti, saltando eccitati in aria ma atterrando in punta di piedi per calpestare il meno possibile l'erba. "E dopo? Come vanno le altre prove?" chiesero curiosi.

"Godiamoci questa intanto e ditemi se non l'ho pensata bene," fece l'organizzatore modulando, come prima, un fischio acutissimo e poi, in breve sequenza, una serie di tre.

All'ultimo dei tre fischi i cavalli partirono. Il baio sbandò, tagliò la strada al nero che s'impantanò sulla cunetta di sabbia e quando riprese a correre aveva mezza lega da recuperare. Poi due cavalli, al primo tornante, s'impuntarono, tornarono indietro e ritentarono la capriola proprio mentre il nero, con uno straordinario salto mortale, li superava e si gettava all'inseguimento degli altri. Nel giro di undici leghe il nero aveva ripreso tutti gli avversari meno il baio, il quale negli ultimi tornanti aveva adottato la stessa tecnica dell'inseguitore e compiva salti mortali altrettanto straordinari. E poi successe l'inverosimile. Nonostante la luce del giorno, non ci fu nessuno che non notò un pulsare intermittente e fosforico sul bordo della strada. Era la lucciola prevista dall'organizzatore. Il baio si distrasse, rallentò e quell'attimo gli fu fatale. Per una sola incollatura il nero si aggiudicò la prova.

Il Grande Scomunicato era sicuro di stare delirando. Gli altri saltarono di nuovo in aria, applaudendo la vittoria, e atterrando sempre con cautela. Dopodiché l'organizzatore illustrò le fasi successive della gara che consistevano in prove di velocità pura.

"Velocità pura?" chiese con gli occhi fuori delle orbite il Grande Scomunicato. "Volete dire che questi cavalli sono ancora più veloci di quanto ho visto?"

"Certo, molto di più. È per questo che abbiamo costruito la pista tutta dritta, perché possano dare il massimo."

"Ma come fanno a essere così veloci?"

"Perché hanno sei zampe…"

"Sei zampe? Ma se io…"

"…di cui due invisibili."

"Ah, invisibili. E dove sarebbero?"

"Se lo sapessimo non sarebbero invisibili."

"Cioè volete farmi credere che hanno sei zampe anche se non le avete mai viste?"

"Era scritto nella nostra storia: dodici cavalli mitologici con sei zampe di cui due invisibili."

Alla fine delle prove, che si svolgevano fin nei minimi particolari come le preannunciava l'organizzatore, il Grande Scomunicato era senza parole. Nella sua lunga esperienza di incallito scommettitore non aveva mai visto cavalli così veloci. L'ultimo qualificato avrebbe sbaragliato senza problemi ogni altro cavallo del mondo.

"Quel nero è straordinario," confidò all'organizzatore. "Se solo possedessi qualcosa, alla prossima festa scommetterei tutto su di lui."

"E perderesti," gli rispose serafico l'altro. "Tocca al morello vincere."

"È veloce, certo… ma sembra un brocco rispetto al nero."

"I nostri cavalli sono tutti veloci allo stesso modo. Per questo organizziamo le feste, sennò ci sarebbero sempre dodici vincitori. Non la spunterebbe nessuno di loro nemmeno di un'unghia. È questa la difficoltà dell'organizzatore: creare tensione, emozione, come se fosse tutto vero. Ed è questa anche la difficoltà maggiore per il pubblico, che ci deve credere fino in fondo. Ma a noi vengono piuttosto bene entrambe le cose."

"Sì, ho visto," mormorò il Grande Scomunicato. Gli girò le spalle e se ne andò a camminare per il deserto, accarezzando ogni tanto le poche orme degli zoccoli che lo scirocco non s'era già portato via, cercandone sei dove invece erano quattro. Poi, dopo una buona mezz'ora, ebbe un'improvvisa illuminazione. Tornò alle capanne, dalle quali si alzava il fin troppo familiare odore di zuppa di farro e fagioli, riunì tutti e ventiquattro gli abitanti e annunciò: "Ho avuto un'idea meravigliosa. Qua intorno, da qualche parte, deve esserci una città. E se c'è una città ci sono sicuramente delle corse di cavalli. Noi ci andremo e iscriveremo i nostri... volevo dire vostri... meravigliosi destrieri. Nel giro di poche gare saremo ricchi. Pieni zeppi di denaro. Oro, oro, oro!" e mimò una serie di lanci in aria di monete immaginarie.

I ventiquattro abitanti delle capanne lo guardarono per un attimo perplessi, senza sapere che fare. Poi, ridendo contenti, presero tutti a gridare: "Oro, oro, oro!" e a imitare il Grande Scomunicato, raccogliendo da terra le stesse immaginarie monete e lanciandole di nuovo in aria. La cosa andò avanti per qualche minuto finché, col fiatone, uno degli uomini chiese: "A che serve l'oro?" e anche gli altri avevano negli occhi la stessa domanda.

Il Grande Scomunicato impallidì e serrò le mani a pugno. Poi cominciò a singhiozzare con tale violenza che tutti pensarono che forse ne sarebbe morto e non cercarono di fermarlo quando videro che s'incamminava verso la collina.

"Pesterà tutta l'erba," commentò preoccupato uno degli uomini.

Ma furono le donne, come al solito, a dire l'ultima parola: "Se lo fermiamo gli piglia un colpo."

Lasciarono in pace il Grande Scomunicato per tutta la settimana che rimase lassù, senza mangiare e senza bere, senza muovere un solo muscolo, le gambe strette al torace e le braccia allacciate alle gambe, lo sguardo fisso all'orizzonte, senza curarsi delle zanzare che la notte gli succhiavano indisturbate tutto il sangue che volevano, riempiendogli il corpo di bolle rosse e pruriginose.

In quella settimana il Grande Scomunicato non aveva pensato. Era rimasto interiormente immobile esattamente come appariva all'esterno. Era come se si fosse tramutato in pietra. Ma intanto un gran lavorio di emozioni stava edificando l'ultima e definitiva trasformazione della sua natura oscura e abietta.

Per assurdo fu proprio la purezza che gli stava intorno, così chiara e intelligibile, che lo consacrò definitivamente al male. Non è possibile dire se sarebbe cambiato in meglio se solo avesse potuto partecipare almeno marginalmente a quella pace. L'unica cosa certa è che, senza rendersene conto, sapendosi così fatalmente estraneo, decise di portare il fuoco della civiltà a quella gente, di addomesticarla al dolore, al dispiacere, alle disgrazie, all'infelicità. Decise, in una parola, di umanizzarli.

Non aveva un piano preciso, ma alzandosi sibilò con grande determinazione, come se si rimboccasse le maniche: "E adesso a noi, branco di mentecatti."

LA FINE DELL'EDEN

Quando il Grande Scomunicato comincia a smantellare tutte le passate certezze.

Il primo atto di quello che sarebbe poi stato il suo dispotico governo fu di dare un nome a quella gente perché, spiegò loro il Grande Scomunicato, non se ne poteva più di sentir berciare in giro: "Ehi, tu!" col solo risultato che chiunque udisse il richiamo si voltava sorridendo. I ventiquattro abitanti delle capanne furono contenti, dapprima, perché gli parve un bel diversivo che manteneva il rigore di tutti i loro giochi: l'assoluta inutilità. Infatti, anche in seguito, quando al posto del vecchio "Ehi, tu!" udivano per esempio chiamare "Ehi, Crono!", pur essendo Crono uno solo di loro, si voltavano sempre tutti quanti e poi ridevano.

La cosa esasperava il Grande Scomunicato, ma intanto capiva che il primo passo verso l'umanizzazione era stato fatto. E gli abitanti non furono altrettanto contenti quando cominciò a convincerli, usando le raffinate armi della dialettica e della retorica che aveva tanto bene applicato ai suoi sermoni, che ogni giorno serviva un'adunata, per verificare che all'appello non mancasse nessuno.

Le donne, polemicamente, con le mani sui fianchi, dissero al Grande Scomunicato che se fosse dipeso da loro avrebbero semplicemente gridato: "Ci siete?" e il coro dei sì lo avrebbe confermato.

"E se mancasse qualcuno, come lo appurereste?" domandò con la sua fiera aria di serpente il Grande Scomunicato.

"Non direbbe di sì," risposero le donne.

Il Grande Scomunicato non si arrese. Avrebbe introdotto la logica, prima o poi: era il suo obiettivo più alto. Conquistata la logica, finalmente avrebbe potuto contraddirla e tenerli in pugno per rosolarli a suo piacimento. Ma doveva trovare un punto debole e scardinare con la sua astuzia tutto quel castello di idiozie, come le giudicava.

Il punto debole si mostrò da solo, un giorno, all'adunata, quando capì perché non erano tanto contenti di quel rito militaresco. L'adunata in sé e per sé non li disturbava affatto, era un gioco nuovo e come tale andava bene. Quello di cui non si rendevano ancora conto, ma che fu chiaro al Grande Scomunicato, era che stavano perdendo la qualità di gruppo e conquistando, loro malgrado, la straziante sensazione di unicità degli esseri umani. Quando questo gli fu chiaro, il Grande Scomunicato si sentì a un passo dalla vittoria. E non mollò.

Per prima cosa durante l'appello distinse gli uomini dalle donne, facendoli schierare su due fronti opposti. Poi introdusse, all'interno di ciascun gruppo, l'ordine alfabetico. E stabilita una prima forte differenziazione con la discriminazione sessuale e l'ordine alfabetico, perseverò in quest'opera di sottile distruzione di tutte le passate certezze assegnando a ciascuno di loro dei piccoli compiti non intercambiabili. Ippocrate era colui che si occupava della salute dei cavalli, ma era Epicuro quello che dava loro da mangiare ed Ercole colui che apriva e chiudeva la stalla e spalava via lo sterco. Oppure, era Dalila la donna incaricata di tagliare i capelli a tutta la comunità mentre ad Arianna spettava il compito di cucire e rammendare i calzini e a Era di supervisionare la semina dei campi.

Fu proprio grazie a Era che il Grande Scomunicato – dopo aver inoculato i germi non solo della differenziazione ma anche dei mestieri – pensò che fosse il momento di infiacchire i loro spiriti con l'assimilazione del concetto di gerarchia.

Era non doveva più seminare, cosa che un tempo facevano tutti, ma controllare che la semina si svolgesse secondo modalità ottimali. E senza accorgersene la povera donna che un tempo non aveva nome né una particolare natura – e che nessuno avrebbe potuto distinguere dagli altri ventitré – cominciò a consigliare quelli che sgobbavano di fare le cose in questo o in quel modo. Di conseguenza si ritrovò a notare, e a far notare, che Ercole, per esempio, lavorava con troppa foga e che le sue erano tutte fatiche sprecate o che Omero sparpagliava le sementi a casaccio, come se non vedesse i solchi, e che Nettuno le annaffiava troppo. Poi il Grande Scomunicato assegnò a Caronte l'incarico di andare a letto per ultimo e assicurarsi che tutti gli altri fossero nelle loro capanne e che avessero spento bene il fuoco sotto i paioli. Così, in breve, Caronte, chiacchierando con i suoi compagni mentre seminava – e prendendosi per questa ragione le sgridate di Era – raccontava che Vulcano, tanto per fare un nome, consumava un sacco di legna e poi gli ci voleva più tempo degli altri per spegnere il fuoco, cosa che disturbava Caronte perché lo costringeva ad andare a letto più tardi.

Inutile dire che, prima ancora che fosse definitiva questa particolarizzazione degli individui delle dodici capanne, si fecero sentire tutti i sintomi di quella strana e letale malattia che Dei e Storie, al tempo dei tempi, s'erano dimenticati d'innestare su quel ceppo di personaggi secondari. Il primo sintomo fu la solitudine. Cui seguì, ovviamente, l'infelicità vera e propria.

Ma per questa ultima conquista, come l'avrebbe poi definita il Grande Scomunicato, sarebbero occorsi ancora molti anni. Intanto, grazie alla responsabilizzazione di alcuni a scapito di altri, serpeggiò – seppur larvatamente – la prima forma di invidia.

In sostanza la cosa avvenne in maniera casuale ma, appena la notò, il Grande Scomunicato cominciò coscienziosamente e scientificamente ad applicarla. Tutto nacque dalla costruzione della sua dimora, la tredicesima capanna, più grande delle altre. Chiamò Partenone e gli disse di scegliere i sei uomini migliori per quel lavoro.

"Migliori?" domandò Partenone sbarrando gli occhi.

E allora il Grande Scomunicato, con pazienza e perizia, gli spiegò cosa intendesse per migliore, facendo esempi concreti e mostrando inequivocabilmente a Partenone che i compagni non erano come i cavalli, veloci tutti allo stesso modo, ma che c'era chi eccelleva in questo e chi in quello e chi, magari, non eccelleva affatto.

Partenone ebbe due giorni di prostrazione durante i quali ritardò l'inizio dei lavori. Giunta la sera, si confidò con la moglie, dopo che Caronte s'era assicurato che il loro fuoco fosse spento. Così nacque anche il segreto, che in quella comunità, fino ad allora, non aveva mai messo radici. E, figlio diretto del segreto, nacque anche l'interesse. I due coniugi, infatti, confabulando e confabulando, decisero che i migliori non dovevano essere necessariamente i migliori nel vero senso ma che magari potevano essere i vicini di capanna o quelli a cui normalmente si chiedeva il sale se era finito o ancora quelli che erano stati assegnati a dei lavori che garantivano favori di ritorno. Con l'interesse venne il calcolo, col calcolo la menzogna, con la menzogna le alleanze ballerine e poi le fazioni e i dispetti. La guerra non venne mai perché da un lato il Grande Scomunicato vigilava e dall'altro la natura dei ventiquattro abitanti delle capanne era incorruttibilmente buona.

Perciò tutti i peculiari pregi dell'umanità che assorbirono non ebbero nei loro puri organismi lo straordinario sviluppo che avevano invece raggiunto nel resto del mondo. Ne furono sempre e solo una blanda imitazione, anche quando il processo di umanizzazione fu così completo e drammatico che i poveracci finirono per domandarsi seriamente se erano migliori le donne o gli uomini.

Infine, inevitabilmente, accettarono il concetto di malattia e a quel punto erano bell'e pronti per morire.

TORNA L'APPETITO

Quando il Grande Scomunicato diventa ricchissimo e cade in depressione.

Nel frattempo però il Grande Scomunicato – tornato l'uomo pieno d'energie e iniziative che un tempo aveva imperversato nella Città Santa – non era certo rimasto con le mani in mano.

Il processo di umanizzazione era solo uno degli obiettivi che s'era posto. L'altro era la ricchezza, che da sempre lo lusingava. E con la ricchezza il commercio, gli affari, le tasse e la truffa. E soprattutto il potere, anche se di fatto già lo esercitava sui ventiquattro Mentecatti.

Per quel che riguardava il piano ricchezza, raggiunta la sufficiente autorità, li obbligò a iscrivere i mitologici cavalli a sei zampe di cui due invisibili alle corse ufficiali. E non ci fu una sola gara che non vincessero, ritornando in patria carichi di premi e di quelle monete sonanti di cui il Grande Scomunicato non doveva più mimare il lancio in aria. Però adesso, pur potendolo fare, preferiva tenerle ad ammuffire in una cassa sorvegliata a vista.

La precauzione era inutile, da un punto di vista pratico, perché nessuno dei ventiquattro abitanti delle capanne era minimamente interessato al denaro. Ma il semplice fatto di creare un'attenzione, o un tabù, secondo il Grande Scomunicato era sufficiente a far germogliare in quegli animi puri anche l'ultima gramigna dell'avidità. Ma sino alla fine dei loro giorni i ventiquattro Mentecatti, che avevano assorbito tutto, non compresero però il valore della ricchezza e perciò non s'ammalarono di avidità, con grave costernazione del Grande Scomunicato.

Al termine di cinque anni di successi, una delegazione di emissari governativi e arbitri internazionali volle capire meglio chi ci fosse dietro la straordinaria scuderia che aveva monopolizzato gli allori e fatto vertiginosamente calare gli introiti della cassa scommesse.

Un bel giorno seguirono uno dei Mentecatti fino alle capanne e scoprirono che il vincitore consegnava il premio al Grande Scomunicato. Lo riconobbero subito perché la Chiesa non l'aveva mai perdonato, nonostante i suoi precetti, e i ritratti fedeli del Grande Scomunicato, a eterna memoria della sua infamia, erano ancora affissi ovunque. E in bella evidenza, in ogni ritratto, c'era l'anello papale che tuttora il Grande Scomunicato portava al dito.

Minacciando l'intervento dell'esercito, gli emissari governativi e gli arbitri internazionali si fecero consegnare la cassa piena d'oro e ingiunsero al Grande Scomunicato di non riprovarci, se ci teneva alla vita. Poi marchiarono a fuoco tutti i cavalli col segno dell'infamia perché potessero essere riconosciuti e squalificati. Infine arringarono la piccola folla spiegando loro che il Grande Scomunicato era un peccatore, un eretico, una creatura del diavolo e quanto di peggio il ventre del male avesse mai generato.

"Sì, lo sappiamo," disse una Mentecatta. E allora anche gli altri ventitré annuirono. Ed erano tutti così seri e puri che gli emissari governativi non seppero cosa replicare e se ne andarono.

Girarono le spalle alla comunità e si avviarono verso sud. Dopo un po' si fermarono, spartirono il bottino e concordarono una versione secondo la quale il Grande Scomunicato s'era speso tutto in bagordi. Avrebbero anche detto che per punizione l'avevano bastonato a sangue e lasciato a morire in un deserto senza nome.

Chi invece ricevette delle vere bastonate fu uno dei ventiquattro Mentecatti, Polifemo, che era stato incaricato di badare alla cassa di monete, giorno e notte. Polifemo era talmente contento di aver perso il suo lavoro e di poter tornare a dormire con sua moglie che s'abbandonò a una danza in cui mimava di lanciare in aria immaginarie monete d'oro. Il Grande Scomunicato gli fu addosso in un battibaleno e, preso un tortore, lo picchiò selvaggiamente finché quello, tra lo stupore generale, cacciò fuori dagli occhi delle gocce trasparenti e salate che nessuno aveva mai versato prima d'allora.

Tutti quanti le assaggiarono e stabilirono che il povero Polifemo doveva essere gravemente malato se era capace di trasudare quel salso dagli occhi. Avevano paura che potesse trattarsi di un morbo infettivo. Ma le lacrime non fecero germogliare né in Polifemo né in altri neanche una traccia d'odio, altra erba infestante che non fu mai coltivabile in quella comunità.

Intanto però il Grande Scomunicato si trovava al punto di partenza. Senza soldi non era in grado di portare avanti il suo ambizioso progetto. Come sempre gli succedeva nei momenti di crisi, si ritirò in cima alla collina verde a pensare, per giorni e giorni. E l'idea che tirò fuori nacque da una semplice domanda che si precipitò a rivolgere ai Mentecatti: "Ma questi cavalli sono in grado di riprodursi?"

I Mentecatti si guardarono, cercando negli occhi delle loro donne una risposta. Ma nessuno parlò.

"Bene, allora c'è bisogno di verificare," stabilì il Grande Scomunicato.

Camuffandosi come meglio poteva, si avventurò per il mondo che l'aveva braccato per dieci anni. Avvicinò i più loschi trafficanti, i capi del giro delle scommesse clandestine, certi miliardari disonesti, e propose loro di avere una discendenza mitologica.

L'affare si sbrigava in pochi istanti di copula e costava un bel po' di monete d'oro. L'avidità che non era riuscita ad attecchire tra le capanne di paglia e fango era invece una vecchia consuetudine nel resto del mondo e così il Grande Scomunicato non penò affatto per concludere i suoi traffici. Il tutto avveniva in gran segreto. I futuri proprietari di mitologica discendenza portavano le loro cavalle al villaggio. Lì, in una stalla a parte, appositamente costruita, con un tappeto di paglia finissima, i padroni incoraggiavano le loro belle ad accogliere in grembo il prodigioso figlio mitologico per il quale avevano pagato. Lo stallone veniva introdotto nell'alcova, riverito come un re e guidato nell'atto.

I cavalli mitologici si rivelarono un ottimo investimento. I padroni furono soddisfatti dall'altissima percentuale di successi negli accoppiamenti. I puledri che nascevano erano velocissimi e in grado di sbaragliare qualsiasi avversario. Non avevano la stessa velocità dei loro padri né la stessa stabilità perché, nel processo di trasmissione dei geni ereditari, nascevano con cinque zampe di cui una sola invisibile invece di due. E nessuno poté avvantaggiarsi di quei nuovi nati per perpetrare la razza poiché mettevano al mondo una prole di quattro zampe di cui nessuna invisibile. E quindi, in definitiva, dei normalissimi cavalli.

Questo particolare difetto di trasmissione fece ulteriormente prosperare il traffico del Grande Scomunicato, che accumulò una vera e propria fortuna con i suoi dodici stalloni e molto più in fretta di quanto avrebbe potuto fare iscrivendoli alle gare.

I cavalli mitologici, che fino ad allora erano rimasti incontaminati, furono anch'essi corrotti dalla sporca mano del Grande Scomunicato. Allora – come i ventiquattro Mentecatti – s'ammalarono di malinconia, imbiancarono il crine, impararono a invecchiare, tossire, storcersi le caviglie, i denti gli si fecero gialli e cariati. In capo a dieci anni ne erano morti sei, nel disperato tentativo di far onore alla propria virilità. Gli altri sei sopravvissuti erano diventati sterili. Conobbero così l'ignominia del giogo, perché il Grande Scomunicato non perdonò mai quella loro usura e gliela fece pagare. Tutti e sei i sopravvissuti morirono di fatica trascinando l'aratro per dissodare un numero sempre maggiore di acri.

A questo punto il Grande Scomunicato, pur essendo diventato ricchissimo, non aveva apparentemente modo di spremere altri soldi da niente e da nessuno. Le sue casse erano piene d'oro ma non c'era alcuna prospettiva di entrare nel mondo della finanza. Se solo avesse fatto trapelare la notizia che aveva tutti quei soldi sicuramente sarebbero venuti a sequestrarglieli, com'era già successo. Non aveva diritto ad altro che al vestito e all'anello, così aveva deciso Sua Santità. E se poteva arrischiarsi a mettere il naso nel mondo conosciuto per pochi giorni – giusto il tempo di stabilire dei loschi contatti – non si illudeva certo che il suo anonimato venisse protetto in eterno. No, l'unica possibilità era restare lì, tra quelle capanne di paglia e fango.

Era in prigione. E quando se ne rese conto credette di impazzire. "Che me ne faccio di tutta questa ricchezza?" domandava ai Mentecatti.

Poi un giorno si stancò di fare sempre la stessa domanda e non uscì più dalla sua capanna. In preda a una terribile depressione restò a letto, sognando quello che nella realtà gli era negato.

I Mentecatti lo fissavano scuotendo il capo e poi gli davano una pacca sulla spalla. Il Grande Scomunicato reagiva con rabbia, menando ceffoni alla cieca.

Dopo un po' i Mentecatti si stufarono di confortarlo. A tutti mancavano le feste e le gare, l'ascesa alla collina in un unico gioioso gruppo; a tutti mancavano i cavalli mitologici e la loro inutile e straordinaria velocità; a tutti mancava la solita zuppa di farro e fagioli che il Grande Scomunicato aveva deciso di variare; a tutti mancava la certezza che l'oggi sarebbe stato privo di sorprese, identico a ieri e a domani, così confortante e allegro; a tutti mancava la totale ignoranza del tempo, che li aveva preservati da malattie, vecchiaia, sterili preoccupazioni e malumori. Ma non c'era verso che si potesse tornare indietro, anche adesso che il Grande Scomunicato s'era ritirato nella sua capanna, scordandosi di regolare il loro lavoro e di interferire con la loro vita. Anche adesso che non faceva altro che urlare: "Che ci faccio con tutti questi soldi?" Non c'erano più i dodici cavalli mitologici. Non c'era più un unico e ininterrotto giorno gioioso. Ognuno di loro aveva un nome ed era un po' più solo.

In breve, senza il pungolo del Grande Scomunicato, l'apatia la fece da padrona. I ventiquattro Mentecatti smisero di lavorare i campi, di rassettare la casa e di cucinare in maniera decente. Divennero ventiquattro sciatti barboni che non facevano nulla e, per la prima volta dopo tanti anni, i giorni tornarono identici a quelli appena passati e a quelli che sarebbero venuti. Ma mai gioiosi.

IL REGALO

Quando il Grande Scomunicato condanna i Mentecatti alla nostalgia della luce.

Un giorno, mentre era ancora sprofondato nella sua apatia, il Grande Scomunicato si mise a far calcoli e si rese conto che era stato cacciato dalla Città Santa da cinquantun anni e viveva nel villaggio da quarantuno.

"Ho ottant'anni," disse stupito.

Subito si guardò il dorso delle mani, in cerca delle macchie scure della vecchiaia. Si alzò in piedi, saltò e si piegò fino a terra per trovare uno scricchiolio nello scheletro o una debolezza dei muscoli. Ma si sentiva perfettamente in forma. Non avrebbe saputo dire se la cosa era imputabile alla propria costituzione o al fatto di aver succhiato la vita dei Mentecatti. La risposta, se c'era, lo interessava poco. Quel che contava era che adesso – dopo quei cinque mesi passati a chiedersi come usare l'enorme ricchezza accumulata – si sentiva pieno di energie.

"Basta piagnucolare," si rimproverò.

Uscì dalla capanna, riparandosi gli occhi disabituati al bagliore del deserto. Provava un sentimento simile all'affetto per quel villaggio che era diventato casa sua. Ma appena gli occhi si furono abituati alla luce, vide lo sfacelo. Campi abbandonati e raccolto secco, tetti sfondati e focolari spenti, paioli tarlati dalla ruggine. I ventiquattro Mentecatti erano buttati per terra con gli occhi rovesciati all'indietro. Il Grande Scomunicato ne prese a calci uno, urlandogli di alzarsi, un altro lo bastonò, un altro ancora lo innaffiò con una secchiata d'acqua gelida. Scandì ordini e s'abbassò a implorare. Neanche una reazione. I Mentecatti erano ormai delle larve.

Il Grande Scomunicato si pentì amaramente per i mesi di sconforto che avevano causato quel disastro e si ripromise che da allora in poi, se fosse riuscito a raddrizzare la situazione, avrebbe vigilato incessantemente su tutto e tutti. Come sempre quando doveva prendere una decisione importante, salì in cima alla collina. Dalla sua postazione osservò i Mentecatti. Era chiaro che in breve sarebbero crepati.

La cosa lo colpì profondamente. "In tutto il creato non ci sarà più un'anima che mi sopporti se questi sciagurati si lasciano morire," disse.

E in quella frase, come sempre gli succedeva in cima alla collina, trovò la soluzione che cercava.

"Un'anima, un'anima!" ripeteva eccitato mentre scendeva trotterellando giù dal pendio.

Giunto tra i Mentecatti si mise in piedi sul pozzo, a gambe divaricate. Protese enfaticamente le braccia al cielo e cominciò a pregare in latino, con foga, ispirato, fingendo di non curarsi di loro. Né quelli, all'inizio, diedero segno d'interessarsi a lui. Ma il Grande Scomunicato sapeva che il gatto, per stanare i topi, doveva far ricorso a tutta la sua pazienza, perciò pregava e pregava e pregava, senza mai guardarli, neanche un attimo, come se non esistessero. Il suo incomprensibile cicaleccio in latino, a cadenza precisa e ritmata, veniva interrotto sempre dalla stessa frase.

"Signore, ti prego, fai del mio corpo ciò che vuoi però mantieni salda la mia anima in modo che un giorno possa essere partecipe della Tua luce infinita."

E subito riprendeva a pregare. Pregò tutto il giorno e tutta la notte. Quando esaurì le preghiere, prima di riprenderle daccapo, recitò quel che ricordava di Cicerone e dei poeti che aveva usato per i suoi sermoni. All'alba ancora pregava, con la voce roca, e regolarmente si fermava per declamare: "Signore, ti prego, fai del mio corpo ciò che vuoi però mantieni salda la mia anima in modo che un giorno possa essere partecipe della Tua luce infinita." Andò avanti, nonostante le gambe gli tremassero così tanto che aveva paura di cadere nel pozzo e scoprire cosa nascondesse il centro della terra, nonostante i muscoli delle spalle gridassero pietà perché non ce la facevano più a reggere le mani al cielo, nonostante il sole cocente e l'umido delle notti di quel deserto. Andò avanti senza mai fermarsi se non per bere un po' d'acqua ogni tanto e schiarirsi la voce. Andò avanti per tre lunghi giorni.

"Ma si può sapere che cosa sarebbe quest'anima?" chiese infine una delle donne, più spazientita che curiosa.

Il Grande Scomunicato non la degnò di uno sguardo. Lo stesso fece quando il marito della donna, due ore più tardi, disse: "Sul serio, cosa sarebbe l'anima?" Né interruppe le sue preghiere quando un altro ancora, sollevandosi su un gomito, domandò: "E chi sarebbe questo tizio che te la deve tenere salda?" Né rispose a quell'altra che gli chiese: "Già, che razza di storia sarebbe?"

Il Grande Scomunicato smise soltanto quando tutti e ventiquattro i Mentecatti lo implorarono a gran voce, come tanti lazzari che la curiosità aveva resuscitato.

"Andate a mangiare e datevi una ripulita. Fate schifo. Poi vi spiegherò…" disse.

I Mentecatti si rassettarono alla bell'e meglio, consumarono un pasto caldo e tornarono a implorare il Grande Scomunicato. Allora quello, neanche stesse facendo loro chissà quale favore, scese dal pozzo cercando di non dare a vedere la sua fatica e il malumore che gli era venuto aspettando che si lavassero e sfamassero, sorrise e, come fosse tornato daccapo sul pulpito, non solo spiegò loro cos'era l'anima in tutti i suoi più perversi dettagli ma, in conclusione, sentenziò: "Per il potere conferitomi da questo sacro anello ne assegnerò una a ciascuno di voi. Amen." E in un battibaleno i ventiquattro Mentecatti si ritrovarono fecondati dallo spirito.

I poveri creduloni per millenni avevano fatto a meno dell'anima ma da quel momento, gabbati dal miraggio della vita ultraterrena, non si lasciarono più vincere dalla disperazione perché era peccato, non si suicidarono anche quando la vita gli sembrava insopportabile perché era peccato, sopportarono gli stenti e le umiliazioni perché lamentarsi era peccato e se erano tristi si battevano il petto perché anche quello era peccato. Cominciarono a sentirsi in colpa se il raccolto non cresceva rigoglioso, se il sole non splendeva, se la semenza era scadente, se la terra era arida, se l'acqua era troppo fredda o troppo calda. In breve i principi naturali che fino ad allora avevano egregiamente governato le loro vite furono stravolti dalla religione e le nuove, rigide regole ebbero il sopravvento sulle leggi della casualità. Tutto questo solo perché abbagliati da quella radiosa luce che, ironia della sorte, gli Dei e le Storie, per una distrazione, avevano risparmiato loro. Così i poveretti finirono per provare una struggente nostalgia per qualcosa che magari neanche esisteva. Ma nonostante questo, giurarono di credere senza dubbi e s'impegnarono a risorgere per essere giudicati e puniti.

Dopo quest'ultima e definitiva doma, il Grande Scomunicato li rimise in riga, li fece sgobbare come muli e in un batter d'occhio il villaggio fu più lustro di prima.

L'ordine ristabilito, però, non risolveva il problema di base. Per far fruttare il suo denaro il Grande Scomunicato doveva trovare il modo di spenderlo. E per spenderlo doveva andare in un posto qualsiasi dove ci fossero mercanti e mercanzia, negozi e affari da trattare. Ma il Grande Scomunicato non poteva andare in nessun luogo del creato fuorché quello.

"E se me lo costruissi da me un paese?" si disse un giorno.

LA CITTÀ NEL DESERTO

Quando il Grande Scomunicato costruisce il paese e Mastro Tagliabue fa camminare Reietti e Deficienti.

Il progetto era colossale e presuntuoso, considerato che nessuno aveva motivo di trasferirsi in quella zona semidesertica, con un solo, magro rivoletto d'acqua, senza attrattive né ricchezze minerali da sfruttare. Eppure i reietti che desiderano rifarsi una verginità a questo mondo sono sempre stati in eccesso, come in esubero sono sempre stati i deficienti. Reclutando gli uni e gli altri il Grande Scomunicato – nel corso di due soli anni e a rischio della propria vita, perché dovette infiltrarsi nella società civile che gli era interdetta, corrompendo, convincendo o facendo evadere dalle galere i suoi futuri sudditi – riuscì a riunire un discreto numero di esseri umani, ammesso che avessero diritto a questa qualifica. Reietti e Deficienti. E su queste due forze – debolezze, andrebbe detto – costituì il primo nucleo del futuro paese.

Non potendo pubblicizzare il suo progetto, per paura delle vendette della Chiesa, il Grande Scomunicato rinunciò ad assoldare carpentieri, falegnami e muratori specializzati, architetti o esperti di urbanistica. Per la manovalanza s'accontentò, giocoforza, dei futuri abitanti del nascente paese. Ognuno di loro dovette cimentarsi nella dura arte dell'estrarre pietra dalla cava, impastare e cuocere mattoni, metterli l'uno sull'altro e legarli con la malta, scavare fondamenta, squadrare porte, aprire finestre, montare vetri, camini e tetti. Le prime costruzioni lasciarono assai a desiderare poi, col tempo, si fecero meno sghembe. E per la necessità di segretezza, il Grande Scomunicato non poté acquistare i materiali pregiati che sognava. Dovette accontentarsi di quel poco che aveva lì nel deserto: una cava di scadente pietra giallastra e qualche scaglia di ardesia per i tetti.

Fece miracoli. Ma di soldi, comunque, ne spese un'enormità. Anche perché, per tutta la durata dei lavori, dovette provvedere di tasca sua a sfamare i futuri paesani e a corrispondere loro un salario per non farli emigrare.

Non un solo giorno saltò l'ispezione a sorpresa nei cantieri. E fu sempre presente a ogni arrivo di Reietti e Deficienti, per selezionare a uno a uno i nuovi arrivati e assegnarli a un preciso compito.

Il giorno dell'ultimo arrivo stabilito, il Grande Scomunicato era in leggero ritardo perché si era fermato ad assistere a una somministrazione di frustrate che aveva prescritto lui stesso a un muratore. Avvicinandosi al luogo dove era giunto il nuovo carico umano, il Grande Scomunicato vide un energumeno di dimensioni gigantesche sollevare una carrozza con la sola forza delle braccia e fracassarla a terra.

"Fermo là, bestione," lo apostrofò già da lontano il Grande Scomunicato senza il minimo timore, avvicinandosi a grandi passi.

Il gigante faceva parte del carico pur non essendo né Reietto né Deficiente. Era solo un omone grande e grosso, alto cinque spanne buone più di chiunque altro, che la sera prima, in un'osteria, aveva alzato troppo il gomito. Il caso, il destino o semplicemente la sfortuna, aveva voluto che crollasse privo di sensi nel bel mezzo di una tavolata di Reietti e Deficienti che aspettavano la notte per imbarcarsi nell'avventura progettata dal Grande Scomunicato. Giunta l'ora prestabilita, davanti all'osteria era comparsa, nella massima segretezza, una carrozza lugubre, nera e minacciosa, tutta chiusa e senza alcun pertugio se non quello risicato attraverso il quale la masnada si era issata a bordo. I Reietti – tanto per non smentire la loro natura malvagia – avevano deciso di giocare una burla crudele al gigante dicendo che era dei loro. E i Deficienti – anch'essi per non essere da meno della loro fama – s'erano divertiti un mondo a quello scherzo cretino.

Così, all'alba del giorno dopo, il gigante s'era svegliato con un gran mal di testa in pieno deserto. Quando aveva compreso dove si trovava, era andato su tutte le furie. Aveva distrutto la carrozza e avrebbe continuato se il Grande Scomunicato non gli avesse urlato dietro.

"Fermo là, bestione," ripeté il Grande Scomunicato.

Il gigante si bloccò e scrutò con attenzione la figura corvina che gli si era parata davanti.

"Cosa sei, Reietto o Deficiente?" gli chiese il Grande Scomunicato, palpandogli le spalle forti, dalla pelle abbronzata, tesa e lucida sui muscoli possenti, ed esaminandogli le mani da strangolatore, nere di pece. E poiché il gigante non rispondeva gli menò un ceffone in faccia – che era squadrata, con un naso da pugile, zigomi alti e due penetranti occhi verde-smeraldo – e gli ordinò: "Rispondi quando t'interrogo."

Il gigante allungò un braccio grosso e nodoso come il ramo d'una quercia, serrò la collottola del Grande Scomunicato e lo sollevò per aria. I piedi del Grande Scomunicato penzolavano a due palmi da terra quando piantò l'anello maledetto al centro della fronte del gigante, ustionandogliela. Il gigante mollò la presa, incredibilmente docile.

"Allora, adesso rispondi: cosa sei, Reietto o Deficiente?" tornò a chiedere il Grande Scomunicato senza tradire alcuna emozione.

"Né l'uno né l'altro," disse il gigante domato. "Io sono un…"

"Lascia che indovini. Sono piuttosto bravo a capire cosa fa la gente," lo interruppe il Grande Scomunicato, pavoneggiandosi. "Sei forse un lottatore?"

"No."

"Un fabbro?"

"No."

"Un minatore?"

"No."

"Un cavallaro?"

"No."

"Perdio, cosa sei?"

"Un ciabattino."

"Un ciabattino?" rise il Grande Scomunicato. "Be', lo credo che non indovinavo: fai il mestiere sbagliato. Ma a tutto c'è rimedio. D'ora in avanti sei assegnato alla cava e sono certo che diventerai il mio miglior cavapietre."

"Mio nonno era ciabattino, mio padre era ciabattino, io sono ciabattino e se mai avrò un figlio sarà ciabattino anche lui. Non faccio il cavapietre."

"Osi disubbidirmi? Lo sai che potrei farti mozzare il capo?"

"Nel qual caso non avresti comunque un cavapietre. Invece se mi lasci vivo avrai almeno un ciabattino abile e fedele."

"E cosa dovrei farmene di un ciabattino? Sto costruendo un paese, mica una fabbrica di scarpe."

"Potrei fabbricare delle speciali scarpe rinforzate per i tuoi cavapietre così non diventeranno zoppi ogni volta che un blocco cade loro sui piedi. E delle scarpe con una suola resistente per quelli che trasportano materiali su e giù dalla cava al cantiere per farli camminare più veloci. E scarpe antiscivolo per gli operai che s'arrampicano a costruire tetti… e anche tu hai bisogno di un buon paio di stivali. Quelli che indossi mi paiono ridotti male. Saprei farti degli stivali così morbidi e comodi che la notte, coricandoti, dimenticheresti di sfilarteli e magari potrebbero migliorare anche il tuo umore."

Il Grande Scomunicato lo guardò, riflettendo. Nell'attesa il gigante si mise a sedere in terra, aprì il borsone che teneva sempre a tracolla – e che due uomini robusti avrebbero fatto fatica a trasportare –, ne cavò fuori degli attrezzi e del cuoio conciato e in un batter d'occhio, senza prendere neanche una misura, tagliò e cucì delle pantofole con la punta arricciata all'insù. Prima che il Grande Scomunicato tornasse a parlare, il gigante gli porse le pantofole e disse: "Queste sono un regalo. Tutto il resto me lo pagherai."

Il Grande Scomunicato si rigirò in mano le due buffe pantofole e commentò: "Mi hai preso per un sultano o per un pagliaccio?"

"Provale e se non saranno di tuo gradimento allora potrai farmi tagliare la testa senza rimpianti," disse il gigante.

"E sia," concesse il Grande Scomunicato sfilandosi gli stivali duri e consumati che gli avevano fabbricato i Mentecatti. Appena ebbe calzato le pantofole si sentì meravigliosamente, i piedi fremettero di gioia. Per un attimo ebbe la sgradevole sensazione di essere allegro. "Va bene, ciabattino, mi hai convinto. Devo ammettere che non ho mai incontrato un artigiano migliore di te su tutta la faccia della terra," disse abbozzando una specie di sorriso.

"Perché non hai conosciuto mio padre. Io fabbrico scarpe per porcari al suo confronto."

"Ah sì?"

"E mio padre, a sua volta, era un semplice apprendista se paragonato a mio nonno."

"Davvero?"

"Nessuno è mai stato più bravo di lui. Mio nonno è l'inventore delle scarpe," disse con fierezza il ciabattino.

'Sbruffone,' pensò il Grande Scomunicato. Poi, rimettendosi ai piedi i suoi vecchi stivali, sentì il malumore riavvolgerlo nel suo familiare abbraccio e sull'onda dell'entusiasmo ringhiò alla massa di Reietti e Deficienti che avevano assistito attoniti alla scena: "Al lavoro, se non volete che vi mozzi le dita delle mani, poi quelle dei piedi e infine la testa! È chiaro?" e sospirò soddisfatto.

Il capannello si sciolse immediatamente, poiché tutti avevano imparato che il Grande Scomunicato manteneva sempre le sue minacce.

Rimasto solo col gigante, il Grande Scomunicato, a bassa voce, gli domandò: "Saresti in grado di fabbricarmi degli stivali comodi come hai detto ma che non mi facciano perdere il malumore?"

"Se ci tieni davvero, chiederò alla mia arte di riuscirci."

Soddisfatto della risposta, il Grande Scomunicato bloccò due manovali, carichi di travi, e ordinò loro di costruire entro quella sera stessa una bottega per il ciabattino, assecondando ogni richiesta dell'artigiano, per quanto stravagante potesse sembrar loro. Poi diede una pacca sulla spalla al gigante e gli disse: "Oggi fai festa. Da domani lavorerai ventiquattr'ore al giorno se te lo chiederò." Gli fece segno d'abbassarsi e proseguì, sussurrandogli in un orecchio: "E perdi il vizio di darmi torto o di disubbidire a un mio ordine davanti al popolino, altrimenti per non fare brutta figura sarò costretto a tagliarti quel testone da toro." Infine alzò la voce e in tono conviviale gli chiese: "Qual è il tuo nome?"

"Luis. Ma tutti mi chiamano Mastro Tagliabue. E lo stesso puoi fare tu."

Da quel giorno il Grande Scomunicato non fece un passo senza le calzature di Mastro Tagliabue così come i cavapietre, i trasportatori che facevano la spola tra la cava e i cantieri e gli operai che s'arrampicavano sui tetti.

Mastro Tagliabue divenne popolare quasi quanto il Grande Scomunicato nel nuovo paese che andava nascendo, ma mai così ricco, perché aveva il difetto d'essere onesto e per nulla avido. E a quei compaesani che la sera, in osteria, volevano festeggiarlo con boccali stracolmi di vino, rifiutando l'offerta diceva: "Vedete cosa ci ho guadagnato l'ultima volta che ho bevuto? Vivevo in una bella città, con tutte le mie comodità, e mi sono ritrovato in mezzo al deserto. Se bevessi ancora avrei paura di risvegliarmi all'inferno, che è l'unico posto peggiore di questo."

"Ma allora perché non te ne vai, tu che puoi, Mastro Tagliabue?" gli chiedevano sempre.

E il ciabattino ogni volta rispondeva: "Un presentimento."

LA PRIMA VITTIMA

Quando il Grande Scomunicato s'improvvisa boia e istituisce la pena di morte.

A mano a mano che il paese cominciava ad assumere una struttura architettonica definita, il Grande Scomunicato trascorreva sempre meno tempo nei cantieri a supervisionare i lavori. E il palazzo che si era fatto costruire era ormai ultimato. Così l'uomo da cui dipendeva quell'enorme impresa si ritrovò a gironzolare per le vie che si formavano, giorno dopo giorno, fantasticando, ragionando, studiando tutto il codice di leggi che avrebbe regolato la vita dei suoi sudditi. Nonostante la fine dei lavori fosse lontana ancora anni, il Grande Scomunicato sentiva il tempo correre e la meta avvicinarsi velocemente. Perciò, quando una via assumeva il suo aspetto definitivo e si cominciava a lastricarla, il Grande Scomunicato si precipitava a inaugurarla e a battezzarla. E i nomi erano tetri come i suoi pensieri: via della Vergine Addolorata, via delle Frecce di San Sebastiano, via del Collegio di Penitenza, corso dell'Apocalisse. Poi gli tornarono alla mente le truci immagini con cui i frati del suo primo convento cercavano inutilmente di spaventarlo. Fece scolpire quegli incubi. In breve, a ogni crocicchio tra due vie ultimate, la statua di un santo martirizzato cominciò a sanguinare o ad agonizzare alla luce fioca e tremula di piccole candele votive. E, per appesantire ancora di più i passi dei futuri paesani, fece scolpire sul lastricato delle vie, qua e là, bene in vista, frasi religiose o moraleggianti. "Hai vinto, pallido Galileo: il mondo è diventato grigio per il tuo respiro", oppure: "Sopra gli occhi ispirati e ardenti della gioventù vedo levarsi il berretto variopinto e ironico del buffone", o ancora: "In che modo un giovane purificherà il suo cammino?", oppure: "Ed ella umiliò immensamente il suo corpo, e dei suoi capelli strappati colmò tutti i luoghi che l'avevano vista felice".

L'obiettivo del Grande Scomunicato era spegnere quel deserto pieno di luce con una cappa scura e asfissiante, perché tutti vedessero il mondo con le sue stesse lenti deformate.

Il regno del Grande Scomunicato contava, al momento dei lavori, cinquecentoventiquattro abitanti, compresi i bastardi nati dalla promiscuità di Reietti e Deficienti. Ma i bastardi erano pochi, perché quasi da subito il Grande Scomunicato – al solo scopo di creare quel tanto di tensione razziale che gli avrebbe ricordato i bei tempi andati del mondo civile – aveva incoraggiato la differenziazione in classi sociali. La prima naturale conseguenza di questa sollecitazione fu la nascita di due corporazioni, quella dei Reietti e quella dei Deficienti. I Reietti accolsero con entusiasmo l'idea, eccitati dalla prospettiva di poter legalmente allargare il raggio d'azione dei loro intrallazzi futuri. I Deficienti accettarono passivamente la proposta. Però, col passare delle settimane, apprezzarono il vantaggio di avere una sala riunioni nella quale – essendo esclusivamente fra di loro – non si sentivano così deficienti come invece erano.

Infine, per essere coerente con il suo piano di tensione sociale, il Grande Scomunicato si adoperò perché l'urbanistica del paese ne creasse i presupposti. Costruì spaziose aree residenziali e quartieri periferici popolosi come formicai, nonostante ci fosse tutto un deserto a disposizione. Stabilì che lussuose ville venissero edificate al centro di un cerchio di casette che erano poco più che baracche.

I mille fuochi del peccato divamparono subito. Si lottò con ogni mezzo, fino ai più subdoli, per farsi assegnare gli immobili migliori. La calunnia serpeggiò a fior di labbra. L'invidia gonfiò gli animi. La violenza trattenuta creò rancori che sarebbero rimasti cronici. E il Grande Scomunicato guardava compiaciuto le sue ringhiose creature. Ora che le aveva aizzate, dominarle e terrorizzarle sarebbe stato più divertente.

I ventiquattro Mentecatti assistevano rassegnati alla crescita del paese, fatto di pietra e popolato di gente volgare, senza opporsi né creare scompiglio. Le loro capanne erano state le prime a esser buttate giù, per fare spazio alle fondamenta del palazzo del Grande Scomunicato. Si tennero in disparte e non parteciparono ai lavori, perciò la gente non li ebbe mai in simpatia.

Durante il primo anno della fondazione morì Epicuro. Fu travolto da un carro. Il conducente non si fermò. Nemmeno si voltò. E i passanti non intervennero, né prima né dopo.

La moglie di Epicuro, Lepida, da sola, senza che nessuno la aiutasse, trascinò il marito defunto fin nei pressi di una duna fuori del paese, in pieno deserto, dove si fermò, spossata. Gli altri Mentecatti, saputa la notizia, la raggiunsero. Rimasero seduti in circolo, a testa bassa. Poi le donne cominciarono a cucinare zuppa di farro e fagioli. Mangiarono e si addormentarono. All'alba si salutarono. Quella duna non era male, si dissero. Sarebbe stato bello tornarci, di tanto in tanto, ma come riconoscerla tra tutte quelle dune identiche? Così, per segnare il posto, decisero che avrebbero lasciato il cadavere di Epicuro. Lasciarono anche un paiolo grande perché avrebbero cucinato di nuovo.

Quella mattina il Grande Scomunicato sentì due servi che raccontavano di come fosse stato spiaccicato uno di quegli strani nanerottoli giallastri. Li afferrò per la gola e volle sapere tutto per filo e per segno. Poi sguinzagliò i suoi sgherri alla ricerca del conducente del carro. Una volta trovato, l'uomo fu condotto davanti al palazzo, in catene.

Il Grande Scomunicato aspettò che i banditori radunassero la folla, poi tagliò personalmente la testa al conducente del carro, senza un processo e senza nemmeno formalizzare l'accusa. L'uomo morì senza sapere perché.

La folla era impietrita. Era la prima esecuzione. Il Grande Scomunicato aveva la scure del boia in una mano e la testa del conducente del carro nell'altra. Per l'occasione era vestito di bianco, affinché non passasse inosservata nemmeno una goccia di quel mare di sangue. E guardava i paesani in silenzio. Non aveva detto una sola parola e già un uomo era stato decapitato. Ma nessuno sapeva perché.

"La legge non ammette ignoranza," disse il Grande Scomunicato e poi se ne andò, gettando la testa a un branco di cani randagi, che se la contesero fino a sera.

Allora la folla si sentì insicura. E spaventata. Rischiare di non conoscere il proprio peccato era un peso insopportabile.

Ma appena dentro il palazzo, il Grande Scomunicato fece in modo che due cuoche lo sentissero dire che avrebbe mozzato personalmente il capo a chiunque avesse fatto del male ai nanerottoli giallastri.

La voce si sparse in un battibaleno e da quel momento nessuno interagì più con i Mentecatti, abbandonandoli al loro destino che volgeva miseramente al termine.

L'ULTIMA MALATTIA

Quando i Mentecatti, all'insaputa del Grande Scomunicato, scoprono di essere capaci di procreare.

Non ci vollero molti anni perché quasi tutti i Mentecatti morissero. Nessuno li uccise, né volontariamente né per caso.

I Mentecatti vivevano da sempre, ma poi nelle loro perfette esistenze era arrivato il Grande Scomunicato. E adesso il loro tempo era semplicemente scaduto.

Una mattina il Grande Scomunicato vide passare una barbona che gli parve familiare. La donna aveva mani grassottelle, dalle dita corte e tozze, che le spuntavano fuori dalle maniche logore del vestito; piedi gonfi e arrossati, senza scarpe, fasciati in vecchie e consunte bende scolorite; una carnagione giallastra. Era bassa quanto un bambino e avanzava stancamente, a piedi divaricati, come una papera sciancata, dimenando il didietro abbondante e rotondo. I capelli, sporchi e raccolti in una crocchia disordinata sotto un fazzolettone così liso da sembrare una veletta, dovevano essere stati lunghi e biondi. Il Grande Scomunicato le tagliò la strada, la fermò e la guardò negli occhi.

La barbona, invece, sembrava non vederlo.

"Come stai?" le chiese il Grande Scomunicato.

La barbona non gli rispose.

"È tanto tempo che non vi vedo più in giro," disse ancora il Grande Scomunicato.

La Mentecatta, di nuovo, non rispose.

Allora il dittatore si fece da parte. E la povera disgraziata riprese a camminare, come per inerzia.

Il Grande Scomunicato mormorò il nome della Mentecatta, tra sé e sé, con una specie di affetto, come pronunciando il nome di una passata fiamma. Ma nonostante questo non pensò di chiedere ai suoi servi di provvedere a lei. Non pensò neanche per un istante di aiutarla. Al contrario, si voltò di scatto, infastidito dalla pena che tanta miseria rischiava di procurargli. Non voleva sapere cosa ne era stato degli altri Mentecatti. Non voleva vedere. E si rese conto che doveva cancellarli dalla sua memoria. "Ah, non riuscirete certo a farmi sentire in colpa!" le urlò dietro. "I deboli muoiono. E allora? È una legge naturale. I deboli muoiono a causa della loro stessa debolezza, non certo per colpa mia!" Rientrando nel palazzo prese a calci un bambinetto che passava di lì con il padre, così, tanto per il gusto di farlo di fronte all'inerme genitore, e questo lo fece sentire molto meglio.

Chi notò la barbona fu Mastro Tagliabue, il ciabattino del Grande Scomunicato, un tempo famoso perché aveva provveduto da solo alle scarpe di tutti gli abitanti. Ma ormai la sua popolarità era scemata. Le scarpe erano finite in fondo alla lista delle urgenze, il lavoro era diminuito sensibilmente e l'esistenza del ciabattino era diventata penosa. Le lunghe ore di inattività, senza commissioni, trascorrevano lente e tediose.

Forse per questo Mastro Tagliabue, non avendo nulla di meglio da fare, cominciò a seguire la Mentecatta, che s'aggirava senza meta per le strade dai tetri nomi. E passo dopo passo gli parve di riconoscere un po' di se stesso nella dignitosa disperazione della Mentecatta. Più la pedinava, meno si sentiva solo. E il suo antico presentimento riprese con l'intensità d'un tempo.

Seguì la barbona fino a sera in quel peregrinare senza posa, come legato da un invisibile filo. Era ormai notte quando, in un vicolo scuro e deserto, vincendo la sua timidezza, apostrofò la Mentecatta. "Ehi, tu," le disse, con la voce strozzata dall'emozione.

Lei si voltò lentamente. Aveva occhi sconsolati che nell'oscurità brillavano di un'antica vitalità. "Dove credi di stare? Al mercato? Impara un po' di buona creanza," recitò la donna, meccanicamente, rammentando l'amara lezione che il Grande Scomunicato aveva impartito a lei e ai suoi ventitré compagni il giorno in cui aveva assegnato a ciascuno di loro un nome. E due luccicono le colmarono gli occhi mentre tornava con la memoria alla vita spensierata d'un tempo, alle capanne di paglia e fango, alla zuppa di farro e fagioli e alla loro felice esistenza.

Mastro Tagliabue, imbarazzato, si rigirò tra le mani il borsone degli attrezzi che come sempre s'era portato appresso, e disse, mortificato: "Mi spiace… è che non so il tuo nome."

"Non è una buona scusa," replicò la donna. "Allora invece di urlare 'Ehi, tu' dovevi chiedermi 'Come ti chiami?', non ti pare?"

"Hai ragione… Come ti chiami?"

"Urgulanilla," rispose lei.

"Vorrei fabbricarti delle scarpe, Urgulanilla," disse il ciabattino, grato alla Mentecatta per quel giorno fuori dell'ordinario.

"Perché?" chiese lei, aggrottando le sopracciglia.

"Per camminare," rispose Mastro Tagliabue.

"Per camminare servono i piedi," replicò Urgulanilla, anche se ormai era certa che per camminare come lei servisse l'inerzia di chi sapeva di aver perso qualcosa che non avrebbe più potuto ritrovare.

"Disgraziatamente io sono solo un ciabattino. So fare scarpe e non piedi," disse Mastro Tagliabue e si accosciò a terra dove si mise subito all'opera nonostante il buio pesto del vicolo. Le sue mani enormi si muovevano con destrezza sulla pelle conciata, con un entusiasmo che da molto tempo non provava più.

Urgulanilla gli sedeva accanto silenziosa e pensava a suo marito, morto da qualche mese. Aveva trasportato il cadavere appena fuori del paese e l'aveva sistemato sulla duna dove anni prima avevano lasciato Epicuro, il primo di loro a morire. Suo marito Vandalo era stato il diciannovesimo.

Mastro Tagliabue finì le scarpe e le offrì a Urgulanilla. La Mentecatta le guardò ammirata perché erano le più belle scarpe che avesse mai visto, con dei meravigliosi cavalli incisi sul cuoio. "Hai disegnato i cavalli a sei zampe di cui due invisibili," disse.

"Veramente ho inciso solo quattro zampe," replicò il ciabattino.

"Certo, volevi incidere anche quelle invisibili?" disse la Mentecatta, ringraziò, s'alzò e riprese a camminare senza calzarle. "Sono troppo preziose," disse. "Non vorrei rovinarle."

"Te ne fabbricherò quante ne vorrai. Ti prego, indossale."

Urgulanilla guardò per la prima volta con interesse quell'uomo gigantesco, così diverso dai volgari paesani che avevano infettato il loro deserto.

"Che c'è?" chiese il ciabattino, aggrottando le sopracciglia in un modo che a Urgulanilla ricordò suo marito.

"Lascia perdere," disse commossa e poi: "Senti... Potresti fare altre scarpe per dei miei amici che camminano quanto me?"

"Tutte quelle che vuoi," rispose generosamente il ciabattino.

"Allora vieni. È appena morto uno di noi e ci ritroveremo tutti fuori del paese," disse Urgulanilla. Indossò le scarpe e si avviò verso la duna, scortata da Mastro Tagliabue. Nella notte silenziosa si sentiva echeggiare la voce della Mentecatta, che ripeteva beata: "Ah, che comodità!"

Dopo quasi un'ora avvistarono un falò in pieno deserto. Un delicato aroma di cibo solleticò le narici di entrambi. "Zuppa di farro e fagioli," disse Urgulanilla, con un'espressione golosa.

Mastro Tagliabue contò altre ventitré persone sedute in circolo e si meravigliò del silenzio e della loro rigida compostezza. Il fuoco si era ormai quasi consumato e lambiva appena le figure, sempre immobili, lasciandole nell'ombra.

"Alla buon'ora," disse uno dei Mentecatti a Urgulanilla.

"Mangia, Urgulanilla," disse un'altra voce femminile.

"Sì, sarai affamata," disse un terzo Mentecatto.

Con un tuffo al cuore il ciabattino – la cui vista intanto si era abituata all'avara luce dei tizzoni – contò venti figure quasi scheletrite, con le orbite vuote, le labbra mangiate e i denti in bella vista, con solo un po' di pelle incartapecorita ancora aggrappata agli zigomi, come una muffa. "Ma sono morti!" esclamò.

"Vieni, siediti," gli disse Urgulanilla. Gli offrì una ciotola colma di zuppa e poi si voltò verso il cadavere di Messalina, l'ultima a essere morta. "Peccato, lei era così vanitosa che le tue scarpe le sarebbero piaciute moltissimo," disse.

Il ciabattino, superato il primo istintivo raccapriccio, si rese conto di non essere a disagio, lì, seduto in mezzo a tutti quei cadaveri. C'era qualcosa in quella gente che, per la prima volta dopo tanti anni, lo faceva sentire a casa. Lo confessò in un orecchio a Urgulanilla.

Lei lo guardò, distante e malinconica. "Disse così anche il Grande Scomunicato…"

Terminata la cena, Mastro Tagliabue fabbricò delle scarpe per Tantalo, Postuma ed Ercole, gli altri tre Mentecatti sopravvissuti.

Verso l'alba i Mentecatti si rimisero in cammino, ognuno per la sua strada. Anche Urgulanilla salutò Mastro Tagliabue e lo lasciò lì, in mezzo al deserto. Il ciabattino si mise a pedinarla. Ma già dopo pochi passi gli tornarono in mente gli occhi tristi di Urgulanilla e quel suo modo di parlare senza speranza. Allora – il sole era già alto in cielo – la raggiunse, le poggiò una mano sulla spalla e le raccontò ciò che provava.

"Torna a lavorare," disse Urgulanilla. "Che senso ha seguire una che non va da nessuna parte?"

Il ciabattino le vide scorrere nell'iride tutta la sua storia passata. Si sentì triste per lei e gli si inumidirono gli occhi.

Urgulanilla allungò un dito, l'intinse in una lacrima e l'assaggiò. "Abbiamo imparato anche noi a cacciare sale dagli occhi per il dolore," gli disse. "Ma non siamo mai riusciti a piangere zucchero per la gioia." Poi riprese a camminare.

Mastro Tagliabue la seguì.

Quando Urgulanilla si fermò sotto un ponte e si sdraiò a dormire, Mastro Tagliabue rimase lì, in disparte, a guardarla. E quando la vide rabbrividire si levò la giacca e la coprì. Poi le si addormentò sereno accanto e sognò un villaggio di capanne di paglia e fango che nessuno gli aveva mai descritto.

Nei giorni successivi i due continuarono a camminare, finché una mattina Urgulanilla, in quel suo modo sempre triste e remoto, girandosi verso Mastro Tagliabue, gli tese la mano grassottella dalle dita tozze. Il ciabattino si sentì mancare. A grandi falcate colmò lo spazio che li separava. Strinse la mano di Urgulanilla nella sua e poi, senza parlare, proseguirono allacciati insieme.

"Vorresti sposarmi?" le chiese Mastro Tagliabue quella notte.

La Mentecatta rifletté a lungo, con le sopracciglia aggrottate. Poi gli domandò: "Tu hai un'anima?"

"Così m'è stato insegnato."

"Allora non posso sposarti," fece sconsolata Urgulanilla. "Una volta morta, nell'aldilà, finirei per ritrovarmi con due mariti. E questo creerebbe dei gran guai."

Il ciabattino abbassò il capo a terra, deluso.

"Però anche se non possiamo sposarci," disse Urgulanilla, con un'intonazione maliziosa, "potremmo fare qualcos'altro."

Mastro Tagliabue ebbe un soprassalto. Si sentì infiammare le guance, le gambe furono percorse da un tremito e, con una voce sottile, che ricordava quella di un bambino, le confessò: "Io non l'ho mai fatto. Non saprei da dove cominciare."

"Questo non è un problema," replicò senza scomporsi Urgulanilla. "Io l'ho fatto per tutta la vita e anche se è un po' che non lo pratico non mi sono certo dimenticata le fasi fondamentali. Dunque, per prima cosa ti devi levare le braghe…"

Per tutta quella notte e per tutte le notti successive Urgulanilla e Mastro Tagliabue fecero l'amore teneramente.

E quando si ritrovarono alla duna per la morte di Tantalo – che composero seduto accanto a Messalina – Urgulanilla mostrò a Ercole e Postuma, i due ultimi compagni sopravvissuti, la propria pancia che da sette mesi non smetteva di gonfiarsi e che s'era fatta dura come un tamburo. "Credo di aspettare un figlio," annunciò.

"Fino a questo punto ci siamo ammalati!" commentò sgomenta Postuma.

"In questi ultimi giorni... anche adesso... sento delle fitte..." disse Urgulanilla e contrasse i muscoli della faccia in una smorfia che mise tutti in allarme. Poi cadde a sedere, con le gambe divaricate, urlando di dolore e respirando affannosamente.

La natura seguì il suo corso, le acque di Urgulanilla irrigarono la sabbia arida del deserto e di lì a poco si udirono gli strepiti del neonato. Mastro Tagliabue porse il bambino alla madre che subito se l'attaccò al seno.

"È un maschio. Lo chiameremo come mio padre," disse il ciabattino a Urgulanilla.

"No," disse Urgulanilla con voce ferma ma flebile. "Si chiamerà Vandalo, come il mio povero marito. Glielo devo."

Mastro Tagliabue non la contraddisse. 'C'è tempo per farle cambiare idea,' pensava tra sé e sé.

Poi Urgulanilla disse: "Ho sonno... La notte è così buia... Dove sono le stelle?" E tutti videro che perdeva molto sangue.

In capo a due ore Urgulanilla aveva smesso di respirare. Il neonato, ignaro del dramma, s'accanì con le gengive sui capezzoli della madre finché li ebbe prosciugati del tutto, a modo suo dissanguandola anche lui.

All'alba Postuma ed Ercole ripresero la loro peregrinazione. Mastro Tagliabue, dopo aver adagiato il bambino nella sacca degli attrezzi, rimase accanto a Urgulanilla – l'unica donna della sua vita – col cuore a pezzi. Mentre spuntava un tenero germoglio di farro tra le gambe della sua amata, lì dove aveva annaffiato il deserto con le sue acque materne, il ciabattino ripensò alle ultime parole sussurrate da Urgulanilla: "Promettimi che chiamerai nostro figlio Vandalo... promettilo sul nostro amore clandestino."

Con le lacrime agli occhi, mentre il bambino strepitava nella sacca degli attrezzi, Mastro Tagliabue s'alzò e s'avviò verso il paese. "Andiamo, Vandalo," disse strascicando i piedi nella sabbia. "Avrai fame."

Giunto a casa, incontrò il Grande Scomunicato.

"Non hai niente di meglio da fare che sfornare figli?" gli chiese il dittatore del paese, con una leggera nota di disprezzo.

Mastro Tagliabue gli sorrise distante.

"Mollalo alla madre e scappa," gli disse il Grande Scomunicato.

"La madre è morta," rispose il ciabattino, con la voce rotta.

Allora il Grande Scomunicato gli si avvicinò e lo abbracciò, ridendo. "Ti rendi conto che razza di fortuna hai avuto? Sei ancora libero," gli disse. "Abbandona il marmocchio sui gradini della chiesa e vai a festeggiare," fece allontanandosi. Poi si voltò e gli urlò, ridendo di gusto: "Sei nato con la camicia, Mastro Tagliabue!"

UN INATTESO ATTO DI PIETÀ

*Quando il Grande Scomunicato prega sulle lapidi dei venti-
quattro Mentecatti.*

Contemporaneamente alla costruzione del paese, me-
more della promessa che s'era fatto uscendo dalla Città
Santa, il Grande Scomunicato disegnò ed eresse il mausoleo che avrebbe ospitato i suoi resti mortali. Cinquant'anni
durarono i primi lavori di edificazione del paese e altri ventinove se li presero le rifiniture, per un totale di settantano-
ve anni. Il Grande Scomunicato aveva centocinquantanove
anni quando poté contemplare il suo capolavoro.

Le insegne luminose e le lampade delle osterie e le candele votive lampeggiarono per le strade strette del paese.
Ci fu un applauso che echeggiò per l'intero deserto, titillando le dune selvagge che fremettero di fastidio.

Allora, scortato dalla folla eccitata e vociante, il Grande
Scomunicato fece il giro delle vie e delle piazze che aveva
disegnato e fatto costruire e lo sguardo gli si riempì d'orgoglio. Oltre il portico della piazza centrale, tra due tetti
scuri, era incorniciata la cupola ogivale della chiesa e le
orecchie del Grande Scomunicato si bearono del suono

lamentoso e patetico di un canto gregoriano che si corrompeva vibrando le sue note tra mercati e fiere. La gente applaudì freneticamente.

Il Grande Scomunicato si affacciò a uno dei ponticelli che passavano sopra il magro rigagnolo del paese, si levò la giacca ricamata d'oro e rimase con i gomiti sul parapetto, notando che era già screpolato e ruvido. Imprecò a bassa voce. La pietra era friabile. Giallastra e friabile. Non avevano trovato niente di meglio in quel deserto. E tutti i rilievi che erano stati scolpiti con cura si erano già spianati – arrotondati gli spigoli e riempiti i vuoti – così che il lavoro dello scalpellino era regredito a un abbozzo. Il Grande Scomunicato alzò gli occhi alle case. Anche le cornici delle finestre e i decori dei balconi avevano la stessa malattia. Era una pietra morbida, ribelle alle mani dell'uomo, infastidita dal cesello. Voleva tornare alla sua natura sabbiosa e si opponeva al cocciuto desiderio degli uomini di lasciarle addosso un'impronta che testimoniasse il loro passaggio.

"La vedremo," fece il Grande Scomunicato. "Non sono sopravvissuto a decine di papi e a mille prove per farmi battere da una pietra," e ciò dicendo si avviò verso il suo palazzo, dopo essersi spolverato gli stivali di Mastro Tagliabue, così comodi che spesso la sera, coricandosi, dimenticava di sfilarseli.

La gente lo seguiva in festa, aspettandosi che offrisse da bere a tutti. Ma il Grande Scomunicato era troppo imbufalito. Arrivò al palazzo che s'era costruito e sul cui muro era affissa una lapide con un'iscrizione che diceva: *Attendite a falsis prophetis, qui veniunt ad vos in vestimentis ovium: intrinsecus autem sunt lupi rapaces*. Davanti al portone massiccio si voltò verso la folla inneggiante e spalancò le braccia.

"Siete voi che dovreste offrire da bere a me!" urlò. "Da questo momento la musica cambia, ve l'ho detto!" E ordinò al popolo di trovare il modo per sbarcare il lunario autonomamente perché da quel momento avrebbe iniziato a riscuotere affitti e tasse, per recuperare il patrimonio speso. Adesso erano il suo pollaio, spiegò alla folla con la sua innata crudezza. Polli a cui estorcere denaro con tasse sempre nuove, polli a cui tirare il collo se non producevano abbastanza o infrangevano le regole, polli che avrebbe rosolato al fuoco del suo potere e dai quali avrebbe ricavato il brodo grasso e saporito del suo successo.

Così il paese conobbe la sua definitiva metamorfosi.

I Reietti dovettero rimboccarsi le maniche perché quelli che provavano a battere le vecchie strade venivano mandati al patibolo con estrema leggerezza. Alcuni, vincendo una naturale avversione genetica, chiesero d'essere arruolati nel corpo di polizia che il Grande Scomunicato andava formando. In breve si accorsero che quel mestiere dava notevoli soddisfazioni e non richiedeva un cambiamento di abitudini così radicale come in un primo momento avevano ipotizzato. Altri ancora, rispolverando antiche cronache familiari, ripescarono un padre o un nonno o uno zio che faceva pizze o sturava cessi o scolpiva lapidi e inchiodava bare. Insomma, anche se il livello di partenza era piuttosto basso, furono coperti i principali mestieri artigianali. Molti falsari non smisero subito i loro panni, osarono e batterono moneta. Quelli che ebbero la fortuna di farla franca, avviarono delle attività commerciali o, per restare nel loro campo, aprirono banche. Altri ancora, dopo aver accumulato un po' di quattrini, reclutarono Deficienti, li sottopagarono e fondarono industrie. E così, uno dopo l'altro, tutti i Reietti trovarono una loro sistemazione, più o meno dignitosa.

Il popolo dei Deficienti fu sfruttato nelle industrie, come detto, ma anche nei campi e nei lavori più umili.

Quelli che non trovarono un posto si disperarono. Di lì a poco, però, il Grande Scomunicato venne in loro soccorso. La burocrazia di cui si avvaleva per intorbidare le acque divenne immensa e necessitò di gente che non facesse domande, che non capisse che era tutto fumo negli occhi e che non s'ingegnasse a snellirla. I Deficienti rimasti a spasso divennero mezzemaniche, impiegati statali e burocrati, e tutto il denaro pubblico e le licenze d'esercizio passarono per le loro mani. Questa armata, nonostante non fosse stata addestrata, fu l'asso nella manica dell'apparato burocratico del Grande Scomunicato, che resse a tutti gli sconvolgimenti e a tutte le possibili rivoluzioni.

Il vero problema, da un punto di vista strettamente tecnico, fu creare una classe medica poiché, se ci si poteva improvvisare mercanti, era piuttosto complicato esercitare una professione tanto specifica. Ma l'uomo è fatto per soffrire e per apprendere. E quindi, dopo un gran numero di morti, la pratica empirica consegnò al paese un manipolo di sanitari che si guardò bene dal rendere di pubblico dominio quel poco di scienza appurata e la trasmise solo ai propri discendenti, creando una vera e propria casta. Gli avvocati, invece, non ebbero difficoltà a proliferare e alla fine furono così tanti che in molti dovettero tornare a zappare la terra.

Dopo l'assestamento, il paese non era molto diverso da qualsiasi altro angolo del mondo, né nella forma né nella sostanza, o nella qualità dei servizi o nella moralità dell'amministrazione. Mancava solo un altro passo perché il processo di omologazione fosse definitivo. E avvenne quando quelli che proprio non sapevano dove sbattere la testa si diedero all'arte. A quel punto ogni abitante – chi più chi meno – poteva affermare in tutta coscienza di avere di che campare.

Il deserto circostante, disgustato da tanta civiltà, per il momento andava ritirandosi in cerca di pace e lasciava ai contadini nuove terre da coltivare.

Un giorno, una decina d'anni dopo la fine dei lavori – di ritorno da una passeggiata, mentre i servitori accorrevano e la folla che sempre lo seguiva si disperdeva – il Grande Scomunicato vide una figura patetica e spettrale fare il suo ingresso in scena da una stradetta laterale. Era un ammasso di cenci che si trascinava a fatica e che finì per stramazzare ai piedi del Grande Scomunicato. Nel cadere, all'uomo si scostò il cappuccio dal volto.

"Ercole!" esclamò stupito il Grande Scomunicato. E si rese conto che nel corso di quegli ultimi anni non si era mai domandato che fine avessero fatto i ventiquattro Mentecatti. "Non fare tante scene, tirati su," gli ordinò.

Ma il poveraccio non aveva più un briciolo di forza.

Allora il Grande Scomunicato capì che non era una manfrina e gli chiese: "Dove sono gli altri ventitré?"

"Morti… tutti morti…" e gli occhi di Ercole si riempirono di lacrime e dolore. "Sono rimasto io solo. Che brutta storia… Sono solo… e ho paura…" Poi roteò gli occhi e se ne andò anche lui.

"Perché sei venuto a morire qui?" urlò rabbiosamente il Grande Scomunicato, prendendo a calci il cadavere.

Lo fermarono i servitori, sicuri che si sarebbe spaccato i piedi per quanta furia ci metteva. E dovettero trattenerlo in dieci.

"Fatelo sparire. Mi fa schifo!" urlava il Grande Scomunicato come un ossesso, in preda a una crisi isterica. "Ercole mi ha sempre fatto schifo. Ercole, Dalila, Omero, Polifemo, Messalina, Caronte, Era, Arianna, Nettuno, Tantalo, Epicuro, Sofonisba, Giuditta, Ippocrate, Leda, Giuda, Lepida, Urgulanilla, Vandalo, Scribonia, Vulcano, Agrippina, Postuma, Partenone... mi fate schifo tutti! Che volete da me? Perché mi torturate, branco di scimuniti?" e continuava ad agitarsi quando uno dei servitori prese il cadavere di Ercole e lo gettò in un mondezzaio tra gli scarti di verdura e le interiora di pesce marcio. Il Grande Scomunicato smise di gridare come un ossesso solo quando vide il primo scarafaggio che chiamava a raccolta i suoi compagni per banchettare con Ercole. Allora si calmò, improvvisamente, e ritornò il Grande Scomunicato che tutti conoscevano. Andò al mondezzaio, schiacciò tra il pollice e l'indice lo scarafaggio e la sua tribù, pulì Ercole dei detriti e se lo caricò in spalla.

"Trovate gli altri ventitré, se ci tenete alla vita," disse a nessuno in particolare perché voleva che tutti quanti si dessero da fare, "e portatemeli in cima alla collina. Voglio ventiquattro bare di lusso e ventiquattro lapidi entro stanotte. E calpestate l'erba il meno possibile altrimenti per ogni stelo inutilmente schiacciato vi taglio un dito." Poi, nonostante l'età, scalò l'altura verdeggiante, depositò il corpo di Ercole sui gradini del mausoleo e scavò personalmente dodici buche matrimoniali. Era l'alba quando ricoprì le buche con dentro i cadaveri dei ventiquattro Mentecatti. Stava ancora pigiando la terra scura che già spuntavano i primi germogli dell'erba nuova.

"Mentecatti," disse. "Non so nemmeno io perché lo faccio. Ma una ragione ci sarà." E per la prima volta in vita sua pronunciò un'orazione funebre con un briciolo di sentimento.

Il Grande Scomunicato, per tutto il tempo che aveva pregato, aveva avuto la sensazione d'essere osservato. Si voltò di scatto e vide, in disparte, Mastro Tagliabue che lo guardava da dietro un albero, tenendo per mano un ragazzino dall'aria mite e spaventata.

Il ciabattino sorrideva enigmaticamente. Ripensava alle donne dei Mentecatti e al loro "piano finale", come lo chiamavano: "L'ultimo di noi andrà a morire dal Grande Scomunicato. Lui ha sempre pensato a noi, a modo suo. Lo farà anche questa volta e ci troverà una sistemazione. In fondo, è un bravo diavolo." Avevano avuto ragione fino alla fine, pensò Mastro Tagliabue.

Il Grande Scomunicato puntò un dito minaccioso verso Mastro Tagliabue e il bambino. "Vedo che non l'hai abbandonato sui gradini della chiesa, come ti avevo detto di fare. Peggio per te. Ma se raccontate in giro che mi sono messo a pregare per i Mentecatti vi taglio la lingua," promise. Poi, senza domandarsi perché Mastro Tagliabue fosse lì ad assistere a quel funerale che non interessava nessun altro, se ne andò, con la schiena rotta e il cuore stranamente leggero. Malanni, entrambi, che una buona dormita guarì.

Il Grande Scomunicato, dopo quest'atto di mezza umanità, governò il suo angolo di mondo per altri dieci anni, complicando la burocrazia come meglio poté, stabilendo molte leggi assurde e poche logiche, a capo tanto dello Stato che della nuova Chiesa. Truffò ma punì i truffatori, rubò ma tagliò le mani ai ladri, invocò la misericordia dal pulpito ma strinse senza pietà il cappio al collo dei condannati al patibolo, frustò con la stessa noncuranza sia i cavalli che lo scarrozzavano in giro sia quelli che dovevano squartare un furfante. Dieci anni in cui assestò tutto l'assestabile.

Poi venne a sapere che anche Mastro Tagliabue era morto.

L'avevano trovato su una duna sperduta, con l'enorme cuore spaccato in due per il dolore, accanto a una vecchia pianta di farro che sopravviveva nel deserto.

Solo il Grande Scomunicato ricordava che era la stessa duna dove erano stati trovati i cadaveri dei Mentecatti. Ma non comprese perché il ciabattino fosse andato a crepare lì. Però, ugualmente, lo seppellì sulla duna nel deserto, accanto alla pianta di farro ormai vecchia e contorta che non moriva ogni anno come le sue consorelle e resisteva miracolosamente alla siccità.

"Non mi rimane più nessuno," disse mestamente il Grande Scomunicato. Poi sospirò e aggiunse: "Be', pazienza."

SANGUE DI MENTECATTI

Quando il Grande Scomunicato scopre che nel suo regno la vita continua.

Dopo la morte di Mastro Tagliabue, il Grande Scomunicato convocò il figlio del ciabattino. Il ragazzo – che all'epoca aveva quasi vent'anni – fu introdotto al cospetto dell'uomo più potente del paese. Immediatamente si sentì tremare le gambe perché aveva il cuore di burro.

Ercole, prima di morire, aveva spiegato a Mastro Tagliabue che suo figlio gli assomigliava, sì, fisicamente, ma aveva il cuore di Urgulanilla. "Da grande sarà pauroso come sua madre e tutti noi," gli aveva detto il Mentecatto. "Ma non farliene una colpa. È la nostra natura." E infatti, sin da piccolissimo, il ragazzino era terrorizzato da tutto, ma in special modo dai potenti.

"Non farmi perdere tempo," lo apostrofò subito il Grande Scomunicato. "Tuo padre ti ha trasmesso la sua arte? Sì o no?"

Il ragazzo sentì un groppo in gola che gli annodava le corde vocali. Provò a parlare ma senza riuscirci. Allora fece un segno d'assenso col capo.

"E come ti chiami?" chiese ancora il Grande Scomunicato, alzandosi dal seggio austero che s'era fatto costruire, sul modello di quelli in voga nella Città Santa ai tempi in cui era stato cacciato. Guardò ammirato il fisico imponente del ragazzo e cominciò a palpargli le spalle muscolose come già aveva fatto con il padre. Gli esaminò le mani da strangolatore che aveva ereditato dal genitore e sorrise ricordando il giorno in cui Mastro Tagliabue l'aveva sollevato a due palmi da terra senza il minimo sforzo. "Allora? Sei muto? Come ti chiami?" ripeté.

"Van... da... lo," balbettò il giovane, con un filo di voce strozzata che gli si smarriva in gola.

"Sandalo?" fece il Grande Scomunicato, ormai un po' duro d'orecchi. "Un nome *calzante* per un ciabattino," e rise del proprio gioco di parole, senza allegria, com'era nel suo carattere. "Bene, Sandalo, ascoltami: avevo molto a cuore tuo padre e in special modo il suo lavoro, perciò mi spiace che sia passato a miglior vita. Ora tocca a te servirmi fedelmente come ha fatto lui. Ho grandi progetti per te, vieni a vedere," e lo trascinò verso una finestra. Ma il ragazzo era pietrificato dal terrore e il Grande Scomunicato fece fatica a muoverlo. "Perdio, pesi come venti sacchi di farina," disse. "Guarda là," e indicò in basso.

Il ragazzo vide degli uomini che trasportavano grandi quantità di pietre squadrate e pali. E altri che scavavano delle fondamenta. Più in là, altri ancora stavano distruggendo a picconate una casetta a due piani. I cinque componenti della famiglia che l'aveva abitata fino a quel giorno osservavano passivamente la demolizione. Tutt'intorno erano ammucchiate le loro poche cianfrusaglie.

Il Grande Scomunicato rise, poi si sbracciò dalla finestra e urlò al capofamiglia: "Prendi un piccone e da' una mano anche tu."

Il poveruomo esitò, guardò mestamente la moglie, accarezzò il capo dei tre bambini, si fece forza e ubbidì all'ordine.

"Vedi, è questo il bello del potere," disse il Grande Scomunicato al figlio di Mastro Tagliabue e poi gridò di nuovo all'uomo, che col piccone dava timide beccate ai muri del suo nido: "Mena più forte, passerotto! Cosa sono quelle carezze? Bada che se non t'impegni te la faccio distruggere tutta da solo!" e riprese a ridere.

Il cuore tenero del figlio di Mastro Tagliabue tremava di paura.

A un certo punto tutti gli operai gridarono qualcosa e si misero a correre. Nello stesso momento, minato dalle picconate, l'intero edificio venne giù con un assordante fragore. Si alzò una nuvola di polvere che nascose tutto e ovattò le urla disperate della moglie che ripeteva: "Marito mio! Marito mio!"

Il Grande Scomunicato scosse la testa: "Quel passerotto ci ha rimesso le penne, scommetti?"

In capo a qualche minuto, a mano a mano che la sabbia tornava a depositarsi, sia il Grande Scomunicato che il nuovo ciabattino del paese videro ricomparire la madre e i tre figlioletti, che non s'erano spostati d'un passo dal punto in cui si trovavano prima del crollo. Erano ricoperti da capo a piedi di polvere. Sembravano delle statue infarinate. Poi dalle macerie venne un lamento e una mano s'agitò. L'uomo era sepolto vivo. Gli operai si misero al lavoro e liberarono il corpo dei frammenti più leggeri. Ma era imprigionato sotto due travi così pesanti che dieci operai non riuscirono a muoverle nemmeno di un palmo.

"Andiamo a dargli una mano," sospirò il Grande Scomunicato. "Levatevi," ordinò sgarbatamente agli operai quando fu sul posto. S'avvicinò all'uomo e gli chiese: "Vale la pena di salvarti o sei mezzo morto?" Quello rispose che era vivo e che pensava di non avere neanche un osso rotto. "Che mestiere fai?" gli domandò di nuovo il Grande Scomunicato. Quello rispose che scriveva le lettere commerciali del palazzo. "Allora vai salvato," concluse il Grande Scomunicato e rivolgendosi al figlio di Mastro Tagliabue disse: "Sandalo, tuo padre avrebbe sollevato queste travi con il mignolo della mano sinistra. Fammi vedere se sei suo figlio."

Il ragazzo poggiò a terra il borsone che aveva ereditato dal padre e che come lui si portava sempre appresso, afferrò la prima trave e la rimosse senza fatica. Poi fece lo stesso con la seconda. Lo scrivano si alzò tremando, coperto di polvere e gli baciò le mani.

Il Grande Scomunicato rideva soddisfatto. "Ho in progetto di ampliare il palazzo. Voglio costruire un enorme cortile. E voglio che la tua nuova bottega venga edificata proprio qui," disse indicando il punto in cui era crollata la casa del povero disgraziato. "Preparati a trasferire tutti i tuoi strumenti, Sandalo."

"E quella... fa... famiglia?" chiese il giovane timidamente.

"Cosa vuoi che me ne freghi."

"Potrei dargli... la mia ve... vecchia bo... bottega..."

Mentre il Grande Scomunicato lo squadrava, il ragazzo si sentì morire.

"Non sarai mica un piantagrane come tuo padre, eh, Sandalo? Ti ha mai raccontato che stavo per tagliargli la testa?"

"No... Però ho visto che sei stato molto buono con mia madre e che l'hai sepolta sulla collina..."

Il Grande Scomunicato, a quelle parole, s'irrigidì, prese il ragazzo per un braccio, lo portò lontano da orecchie indiscrete e gli chiese, tutto d'un fiato: "Chi era tua madre?"

"Una Mentecatta, signore, che morì dandomi alla luce…"

"Il nome!" urlò il Grande Scomunicato.

"Ur… Urgu… Urgulanilla…" balbettò terrorizzato il figlio di Mastro Tagliabue.

Il Grande Scomunicato si sentì mancare il fiato. "Non mi ricordo di lei," mentì, ripreso il controllo. Poi licenziò in fretta il ragazzo. "Ti terrò d'occhio, Sandalo," disse con una nota affettuosa che il nuovo, pauroso ciabattino del paese scambiò per una minaccia. Il Grande Scomunicato lo guardò in silenzio, mentre s'allontanava a testa china e si faceva largo tra gli operai. Vide che raggiungeva la famiglia sfrattata e si caricava sulle spalle un letto matrimoniale, un armadio guardaroba e il tavolo da lavoro dello scrivano. La famiglia lo seguiva con poche, leggere carabattole.

Quando fu scomparso, il Grande Scomunicato annullò tutti i suoi impegni e salì in cima alla collina. Si fermò accanto alla lapide dove aveva seppellito Urgulanilla e scosse il capo incredulo. "Mentecatta," mormorò quasi commosso. "Anche un figlio hai dovuto fare. Ecco perché quel ragazzo è così tonto." Poi, ripensando al marito di Urgulanilla, che le riposava accanto, si mise a ridacchiare. "E tu? Cosa ne dici, Vandalo? Ti pesano le corna?" E ancora rise, più forte, come non faceva da anni, finché la risata gli si strozzò in gola. "Vandalo?" fece comprendendo. "Vandalo! Non Sandalo!"

Giurò a Urgulanilla che avrebbe vegliato sul suo ragazzo e se ne tornò a palazzo borbottando: "Perdio, c'è ancora sangue di Mentecatti che scorre nelle vene di questo paese."

LA PRIMA DISCENDENZA

Quando il Grande Scomunicato mette al mondo sei Deficienti.

Dopo aver conosciuto il figlio di Mastro Tagliabue – e in special modo dopo aver scoperto chi ne era la madre –, il Grande Scomunicato decise di avere una discendenza.

Così cercò di reclutare al di fuori del paese una sposa degna del proprio seme prezioso. Ma non aveva previsto che lui, invece, non sarebbe stato ritenuto degno di nessuna sposa. Il mondo ormai sapeva del blasfemo che aveva eretto una città in pieno deserto, nonostante la condanna al vagabondaggio emessa dalla Chiesa. In molti combinavano affari con lui, fingendo di trattare solo con i suoi abitanti, ma nessuno era disposto a cedergli in sposa la figlia.

"Vuoi farmi credere che non troverò una cagna che venga a letto con me?" gridò al proprio destino, con un cupo rancore. "Perdio, se la troverò! Anche a costo di prendermi una Deficiente o una Reietta."

Il Grande Scomunicato aveva centosettantanove anni all'epoca in cui decise di avere una discendenza e, anche se ne dimostrava la metà, non lo si poteva certo definire un ragazzo. E per quanto in forze e pieno d'energie si sentis-

se, c'era però il fondato sospetto che il suo organo ripro-
duttore non fosse più in forma smagliante. Ma alla faccia di
queste legittime evidenze, il Grande Scomunicato di donne
se ne prese addirittura due e in soli dieci anni ebbe sette
figli. Sei maschi da una e una femmina dall'altra.

Nonostante lo scadente materiale umano a disposizione
in paese, il Grande Scomunicato aveva un'incrollabile fiducia nella qualità del proprio seme. Così, per accelerare e
semplificare la sua ricerca, incaricò i due presidenti delle
corporazioni dei Reietti e dei Deficienti di sottoporgli una
rosa di pretendenti.

Il presidente dei Reietti stilò una lista brevissima nella
quale figuravano solo le sue cinque figlie, incluse le due già
sposate. Il presidente dei Deficienti, invece, angosciato
all'idea di sbagliare, elencò pedissequamente tutte le ragazze nubili della popolazione che rappresentava, nessuna
esclusa.

Il Grande Scomunicato, dopo averle esaminate a una a
una, scelse le due candidate alle quali avrebbe concesso
l'onore di perpetuare la sua razza. Ne elesse una per corpo-
razione così da non lasciare intentata alcuna strada. E naturalmente non le sposò.

Le due ragazze erano molto diverse fra loro. Quella del
popolo dei Reietti non era avvenente ma aveva occhi
foschi, che promettevano pugnalate alle spalle. La concu-
bina dei Deficienti, al contrario, era una ragazza dagli occhi
vacui, senza nessuna delle piccanti spezie della sua rivale.
In compenso aveva un enorme e allegro seno.

La donna dei Deficienti viveva nell'ala sud del palazzo,
quella dei Reietti a nord ed era vietato loro di incontrarsi,
parlare e anche solo pensare all'altra. Il Grande Scomunicato non voleva che facessero combutta contro di lui, che
si scambiassero opinioni o che entrassero in competizione.

Era lui l'unico arbitro di quel che avveniva tanto a palazzo che nelle camere da letto.

Dopo due soli mesi, la donna dei Deficienti rimase incinta e quando scodellò il figlio, un maschio, il Grande Scomunicato disse: "E questo è il primo."

La donna credette di assecondare il desiderio del suo signore chiamando l'erede Primo, nonostante le piacessero altri nomi, soprattutto quelli dei cantastorie. "Sarà per il prossimo," sospirò docilmente.

Nei confronti del Grande Scomunicato nutriva una smisurata ammirazione che di lì a breve sfociò in un sincero amore. Di quella specie di matrimonio se ne faceva un vanto perché si sentiva realmente onorata di poter vivere a così stretto contatto con un uomo tanto intelligente. E, conscia dell'incolmabile divario tra le loro menti, la buona donna non se la prendeva a male perché il suo signore non le rivolgeva mai la parola se non per dare ordini, né si sentiva trascurata se non la metteva a parte dei suoi crucci o degli affari di Stato, né soffriva se veniva trattata sgarbatamente.

E così, con quel buon carattere che la sua demenza portava in dote, attendeva pazientemente la notte, quando il suo signore si metteva a letto e s'addormentava sul suo caldo, morbido, allegro seno. Aspettava che sul viso rugoso e sempre corrucciato del padrone del paese sbocciasse il sorriso beato che a lei piaceva tanto, il sorriso di un bambino che sogna di dormire su una gigantesca torta. Allora, guardandolo alla luce insicura della candela sul comodino, lo accarezzava delicatamente e cantava una ninna nanna a tutte le idee che ancora non trovavano pace in quel cranio rosa e spelacchiato.

E quando il suo signore si alzava dal letto, al primo canto del gallo, e senza neanche darle il buongiorno si metteva a pisciare nel pitale bestemmiando, lei, saziata da quella notte d'amore a senso unico, non ci faceva caso e si catapultava per terra, ai suoi piedi, per aiutarlo a calzare le buffe pantofole da sultano che Mastro Tagliabue aveva ideato appositamente per lui. Rimasta sola, passava il resto della mattina a massaggiarsi il seno con creme emollienti e unguenti profumati in modo da renderlo sempre più accogliente.

Nel giro di due anni, tra riprendersi della passata gravidanza, rimanere incinta e partorire di nuovo, gli diede un altro maschio.

"E questo è il secondo," commentò il Grande Scomunicato e lei lo chiamò Secondo anche se non aveva smesso di nutrire l'ambizione di decidere lei come dovessero chiamarsi i suoi figli.

Due anni ancora e un altro erede maschio.

"E questo è il terzo," disse il Grande Scomunicato.

E Terzo fu il nome del bambino.

Poi, nei tre anni successivi, vennero alla luce Quarto e Quinto, sempre maschi e sempre in buona salute, e a questo punto la donna dei Deficienti credette di comprendere il disegno matematico del Grande Scomunicato.

"Li sta mettendo in ordine. Primo è il primo, Secondo è il secondo, Terzo è il terzo, Quarto è il quarto e Quinto è proprio il quinto, capisci?" confidò alla madre.

"Ma allora il prossimo come lo chiamerà?" chiese quella, più dura di comprendonio della figlia.

La figlia, che era di nuovo incinta e all'ottavo mese di gravidanza, esclamò: "Sesto! Lo chiamerà Sesto!" E poi, ancora più eccitata, aggiunse: "Ma io lo anticiperò. Dirò io il nome di nostro figlio e lui sarà così colpito dalla mia arguzia che mi abbraccerà e mi ricoprirà di baci e forse farà addirittura una festa."

Il giorno che il bambino venne al mondo, la poveraccia era stremata dalle doglie, mai prima d'allora così lunghe e dolorose. Il neonato aveva una lingua spessa e viola, cosparsa di pustole, che penzolava inerte fuori della bocca appena abbozzata, il naso era gibboso, i lobi frontali prominenti e calati come un berrettaccio sugli occhi meno espressivi che fossero mai stati dipinti. La madre lo guardava spaventata. "Eccoti... Sesto..." balbettò.

"No!" urlò il Grande Scomunicato. "Questo è l'ultimo. Basta!"

La donna, rimasta sola col suo sesto figlio – che non sarebbe stato Sesto –, fu aggredita da un dubbio atroce. Convocò la madre al capezzale, le raccontò per filo e per segno quello che era accaduto e le chiese consiglio.

"Come ha detto? Ripeti," fece la madre.

"Questo è l'ultimo."

"Ultimo, sì. Mica vorrai chiamarlo Questo?"

"Questo? Oh, mamma, mi confondi. No, lui ha detto: Questo è l'ultimo..."

"E Ultimo sia."

"...ma poi ha aggiunto: Basta."

"Basta?"

"Proprio così, mamma."

"Oddio, che mal di testa..."

Alla fine fu deciso che l'unico sistema era chiamare il neonato una volta Ultimo e l'altra volta Basta e capire dalla reazione del Grande Scomunicato qual era dei due il nome giusto. Negli anni che seguirono il ragazzo, tanto a palazzo che in paese, divenne noto come Ultimo detto Basta.

Ma dal primo all'ultimo, o da Primo a Ultimo, erano tutti e sei dei perfetti Deficienti. Più della madre, stimava il Grande Scomunicato. Il che escludeva l'ipotesi che potessero assumersi l'onere del potere subentrando a lui.

Nel frattempo la madre dei sei Deficienti aveva cominciato a dare segni d'esaurimento. Era sempre più svanita. E a mano a mano che s'assentava con la mente, il suo seno si sgonfiava. Le notti del Grande Scomunicato non furono più le stesse, il sonno non altrettanto ristoratore che un tempo. A mano a mano che la depressione progrediva, i cuscini di carne si afflosciavano e non c'era materassaio che potesse rigenerarli.

Il tutto era nato dal nome del sesto figlio. La donna non era più riuscita ad accettare l'enorme divario intellettuale tra sé e il suo signore. Si sentì senza speranza, comprese che non sarebbe mai stata accettata e tanto meno amata. Perse l'allegria, l'incoscienza, la purezza. E al pari di ogni essere umano entrato in contatto con il Grande Scomunicato si corruppe, aggredita da un invisibile cancro, fisico e morale.

Quando il suo seno fu vuoto come un calzino, il Grande Scomunicato la affidò alle cure di una vecchia che abitava ai margini del paese e se ne persero le tracce.

I sei figli Deficienti crebbero senza attenzioni e senza affetto dopo che la madre fu allontanata dal palazzo. Ciondolarono per il paese come dei vagabondi finché, avendo ereditato dal padre il cattivo carattere, cominciarono a dar fastidio. Quando il Grande Scomunicato ne ebbe abbastanza delle lamentele, li rinchiuse in uno stanzone caldo e umido e vietò a chiunque di farli uscire.

I sei Deficienti finirono per stare tutto il santo giorno affacciati all'unica finestra della loro prigione – munita di sbarre – a sputare sulla gente che passava lì sotto.

L'AMATA PRIGIONIERA

Quando, all'insaputa del Grande Scomunicato, un ragazzo s'innamora di una ragazza.

Vandalo, il figlio di Mastro Tagliabue e di Urgulanilla, si installò subito nella sua nuova bottega di ciabattino, costruita all'interno di un perimetro che con gli anni mutò fino a prendere la sua forma definitiva.

Il progetto iniziale del Grande Scomunicato consisteva nel costruire un ampio spazio all'aperto, circondato da alte e possenti mura, con un ingresso sulla strada – sorvegliato da due guardie – e una serie di porte che mettevano in comunicazione questa zona con il palazzo. In sostanza aveva deciso di avere un cortile. Ma sin dall'inizio aveva cercato di dargli un aspetto più da chiostro. Aveva scavato un pozzo al centro e tutt'intorno aveva innalzato dei portici e un camminamento pavimentato. Sui portici si affacciavano dei locali. Il lato sud era una scuderia in piena regola. Il lato nord, il più fresco, era riservato al macellaio e alle sue carni, alle verdure, alla frutta e a ogni genere facilmente deperibile. Gli altri due lati ospitavano granaglie, tessuti e quanto serviva al perfetto funzionamento del palazzo. C'erano le botteghe di Vandalo, del sarto, del falegname, del tappezziere, del fabbro e del carpentiere. Alcuni ambulanti ebbero il privilegio di trattare le proprie mercanzie, a volte ottenendo una vera e propria bottega per la quale pagavano un affitto salato. Richiamati dalla grande varietà di mercanzie, i popolani cominciarono a fare la coda davanti al portone del mercato e le guardie si trasformarono in gabellieri, riscuotendo un dazio d'ingresso. Come ultimo atto il Grande Scomunicato aveva convocato il fabbro e aveva fatto fondere una gigantesca meridiana – un arcangelo Michele che reggeva in mano una lunghissima spada –, che fu incastonata in alto, su una delle torri del palazzo, in modo che l'intero chiostro diventasse il quadrante del suo orologio. Da quel giorno la minacciosa spada dell'arcangelo Michele, sguainata sulle teste del popolo, scandì l'apertura e la chiusura degli esercizi, il cambio delle guardie, il pranzo e la cena, gli intervalli e le funzioni religiose.

All'epoca in cui il Grande Scomunicato tentava di avere una discendenza, Vandalo conobbe la fioraia del mercato. O sarebbe meglio dire il contrario, perché fu la fioraia che fece di tutto per farsi notare da Vandalo, svolazzandogli intorno come le farfalle svolazzavano intorno ai suoi fiori. E così – mentre veniva annunciata la nascita del primo figlio Deficiente del Grande Scomunicato – Vandalo e la ragazza dei fiori si sposarono.

Passò un solo anno e la ragazza rimase incinta. E dopo solo sette mesi venne al mondo Luis Veloce.

Il nome Luis l'aveva ereditato dal nonno, anche se era un nome che Mastro Tagliabue non aveva mai usato; l'appellativo di Veloce se l'era guadagnato sul campo, il giorno stesso in cui era venuto al mondo con troppa foga.

Sin da piccolissimo Luis Veloce dimostrò d'essere fatto d'una pasta assai diversa da quella del padre. Di Vandalo non aveva né il cuore di burro né la timidezza. Ma non aveva nemmeno il fisico possente né la passione per le scarpe della sua nobile stirpe di ciabattini. Ma ciò che più saltava agli occhi era che, a differenza degli altri bambini, Luis Veloce era nato già indipendente. Era sempre assorto nei suoi pensieri, anche da piccolissimo, come se avesse un progetto, o un destino, che non era la vita tranquilla e piatta che gli offriva la sua famiglia. Come se fosse in attesa del suo momento. Come fosse in una specie di letargo emotivo. Sembrava disinteressato a ciò che lo circondava. Persone e cose.

La madre ne fu ferita, sentendosi rifiutata. E questo la portò ad allontanarsi dal figlio. E poi anche dal marito. Un giorno scappò con un avventuriero. Infine, sola e disperata, s'impiccò.

Vandalo andò a recuperare il cadavere e se lo strinse al petto senza piangere. Quando l'ebbe seppellita, prese per mano Luis Veloce per ricondurlo a casa.

"Perché non sei andato a prenderla prima?" chiese il bambino.

"Perché non ne avevo la forza," rispose il gigante.

Quel giorno Luis Veloce comprese appieno quanto fosse diverso da suo padre. Senza comunicargli i propri pensieri, Luis Veloce decise che lui avrebbe lottato. Che non si sarebbe arreso, mai. Che avrebbe sempre trovato la forza per arrivare dove si prefiggeva di arrivare, per prendere ciò che desiderava prendere.

Ma ancora non sapeva cosa. Non c'era nulla che lo interessasse veramente.

All'età di dieci anni Luis Veloce ebbe il permesso di andare a bottega col padre. Fu immediatamente affascinato dal palazzo, dal grande mercato e dalla statua dell'arcangelo Michele con la spada sguainata. Gironzolava per la prima volta in vita sua a bocca aperta, quando andò a sbattere contro una figura nera, assai poco rassicurante. Il bambino scorse due occhi gravi, acuti e feroci, appuntati come due spilli sopra un lungo naso aquilino.

"Levati dai piedi, moccioso," gli disse il Grande Scomunicato.

"Levati tu, uccello del malaugurio," rispose Luis Veloce.

Mentre Vandalo accorreva e s'inginocchiava ai piedi del patriarca del paese, con lo sguardo a terra, umile e tremante, implorando il perdono per il proprio figlio, il Grande Scomunicato scoppiò in una fragorosa risata che meravigliò tutti i presenti.

"Tieni insolente," disse stranamente allegro a Luis Veloce, allungandogli un dolce che aveva in tasca e poi, rivolto a Vandalo – che non osava alzare il capo e continuava a respirare la polvere del cortile –, aggiunse: "Tuo figlio ha il cuore di suo nonno. Sarà un guastafeste da adulto, me lo sento," e senza degnare nessun altro d'uno sguardo, sempre sorridendo, si voltò e tornò nelle buie e tetre stanze del suo palazzo.

Col passare del tempo il mercato assorbì totalmente l'attenzione di Luis Veloce. Comprese che era una specie di compendio della vita. E una parte antica di sé, che aveva ereditato da Mastro Tagliabue, lo avvertiva che quello era un luogo importante per lui. Come se lì, tra le tante mercanzie, ne potesse trovare una speciale, che lo riguardava intimamente. E senza sapere di citare il nonno, la sua attenzione rimaneva costantemente desta per via di un presentimento che gli solleticava l'animo. Così si mise a osservare tutto, come se stesse studiando.

In breve comprese che era l'amore, e l'amore soltanto, a far girare il mondo e decise che anche lui si sarebbe innamorato. Si confidò con un paio di serve del palazzo e quel-

le gli spiegarono che doveva cercarsi una ragazza della sua
età, se proprio si sentiva pronto per quel genere di mal di
pancia.

"Ma non conosco nessuna della mia età," replicò Luis
Veloce.

"Be', una ci sarebbe…" scherzarono le due serve. "Vedi
lassù, in cima a quella torre? Lì il nostro padrone tiene in
gabbia sua figlia, che ha solo due anni meno di te, e tutti
quelli che l'hanno vista giurano che non esiste una ragazza
di pari bellezza sulla faccia della terra."

Quella fu la prima volta che Luis Veloce si distrasse dal
carosello del mercato e alzò il naso al cielo, verso la stanza
senza finestre dov'era segregata la figlia del Grande Scomunicato.

Per un presentimento. Com'era stato anni prima per
suo nonno Mastro Tagliabue.

LA SECONDA DISCENDENZA

Quando il Grande Scomunicato scopre che anche una figlia femmina può servire a qualcosa.

Contemporaneamente alla nascita del quarto figlio Deficiente, il Grande Scomunicato aveva avuto una figlia dalla donna dei Reietti.

Questa discendente era bellissima e con un solo difetto fisico: la mano sinistra aveva quattro dita. Ma nessuno fu mai in grado di capire con certezza quale dito le mancasse. C'era chi diceva l'indice ma altri sostenevano che doveva essere il mignolo. Altri ancora erano certi che fosse il pollice e altri il medio. Alla fine, poiché la maggioranza giurava che il dito mancante era l'anulare, ci si accordò su quello, tanto per porre fine alle discussioni. La neonata aveva grandi occhi curiosi che sin dai primi mesi indagavano quello che le avveniva intorno. E lunghi capelli neri che crescevano rapidi e si arrotolavano in morbidi boccoli, ghiotti di luce, che digerivano nel ventre delle loro spirali trasformandola in bagliori d'ambra, di porpora, di rame e di ultravioletto. Nessuno, dalla governante ai più umili servitori, resisteva alla tentazione di perdersi in quel caleidoscopio e così la bambina visse i suoi primi mesi coccolata da tutti. E non c'era domestico che non avesse un biscotto o una ghiottoneria nascosta nel grembiule e che non gliela allungasse nella culla.

Ma né la madre né il Grande Scomunicato le riservavano le stesse premure. La Reietta perché, oltre a non avere il minimo istinto materno, era troppo occupata a far fruttare i benefici della sua posizione sociale. Il Grande Scomunicato perché non sapeva cosa significasse la parola affetto. Solo ogni tanto, per pura forma, o perché a corto d'argomenti o, meglio, per evitarne di imbarazzanti, si informava sulla salute della figlia.

"Come sta la femmina?" chiedeva distrattamente.

"La femmina sta bene. Mangia e dorme. Che altro dovrebbe fare?" rispondeva la Reietta, altrettanto distrattamente.

"La femmina ha fatto i suoi bisogni, oggi?"

"Devi chiederlo alla tata. Non mi occupo io dell'intestino della femmina."

E così, poiché nessuno dei due genitori si preoccupava di trovarle un nome, cinque mesi più tardi la bambina venne iscritta nel registro delle nascite come Lafemmina, tutto attaccato. Ma la madre e il padre non ci fecero caso.

L'unica cosa che il Grande Scomunicato notò sin dall'inizio fu la viva intelligenza della figlia, qualità che associata al suo sesso gli diede da riflettere penosamente. La propria formazione clericale, infatti, gli impediva di affidare le redini del paese a una donna. Non era affatto sicuro che una femmina avrebbe esercitato il potere con la rassicurante mediocrità dei maschi. E poi, comunque, non voleva essere il primo prete – seppur scomunicato – che si calava le brache consegnando il mondo alle donne. Né lui né il paese erano pronti a sopportare questa eresia. Pertanto anche Lafemmina fu scartata come erede al trono. Però al contrario dei fratellastri Deficienti, che non correvano il rischio d'apprendere qualcosa, Lafemmina assimilava tutto con straordinaria velocità.

Per questa ragione il Grande Scomunicato riunì la servitù di palazzo e fece un discorsetto breve ma chiaro in cui prescriveva a tutti di non insegnarle alcunché, pena la scorticatura. "Non le dovete neanche rivolgere la parola fino a quando non avrò deciso cosa fare di lei," concluse.

E i suoi servitori, per il fondato timore di vedersi spellati vivi, lo presero talmente alla lettera che non diedero più nemmeno il buongiorno o la buonanotte alla bambina, né si persero più nei suoi boccoli né la viziarono con biscotti e ghiottonerie. Ogni comunicazione fu sistematicamente bandita. Eppure nessuno la dimenticò mai perché Lafemmina aveva il potere di far innamorare chiunque.

Chi si rallegrò maggiormente delle direttive del Grande Scomunicato fu la madre della bambina, visto che riteneva un'occupazione odiosa quella di crescere la figlia e preferiva destinare tutto il suo tempo agli intrallazzi.

Lafemmina, al contrario dei suoi sei fratellastri, non ebbe mai neanche il privilegio d'una finestra con le sbarre dalla quale spiare la vita. La sua stanza all'ultimo piano del palazzo, in cima alla torre, aveva solo un lucernario sul soffitto. Tutto quello che Lafemmina poteva guardare erano il cielo, il sole, la luna, le stelle e, raramente, qualche piccione.

E poiché il Grande Scomunicato, dopo averla isolata, s'era sempre dimenticato di decidere cosa fare di lei, Lafemmina ebbe prima tre, poi sei, poi nove e poi dodici anni in assoluta solitudine. E solo l'inclinazione speculativa della sua natura la preservò dall'alienazione. Crebbe comunque selvaggia, per certi versi, e tutto quello che riuscì ad apprendere della vita esterna lo seppe per le briciole sonore che riuscivano ad arrampicarsi fino alla sua prigione e passarne le pareti.

In quegli anni, sotto la torre, ferveva il mercato e tutto il vociare saliva come una colonna di fumo verso l'alto, mischiandosi in un unico canto. E questo era quel che ascoltava Lafemmina nella sua stanza di reclusa. Solo ogni tanto una frase, un canto o un urlo si staccavano dall'amalgama sonoro. Essendo però molto dotata, su quei pochi scarti che riusciva a rubare costruì un mondo intero, anche se un po' sghembo. E quel che le mancava lo creò dal nulla, affidandosi alla sua capacità deduttiva e alla sua fantasia.

Così, quando il padre decise di assecondare il proprio destino a spese di quello della figlia, Lafemmina aveva cementato una serie di strutture molto complesse e aveva già raggiunto quella solidità che l'avrebbe salvata dalla follia e dalla disperazione.

All'epoca in cui successe aveva tredici anni e stava facendo un bagno caldo, come ogni mattina, dopo aver riempito la vasca di fiori di cactus coi quali levigava la sua pelle bianchissima e morbida. Non aveva fretta. Quel giorno, come tutti gli altri giorni, era lungo, a volte interminabile, prima che giungesse il sonno con la sua amata corte di sogni pieni zeppi di folla e di vita, di rumori e di chiacchiere. Come sempre Lafemmina stava contando le mattonelle del pavimento, da destra a sinistra e da sinistra a destra, pur sapendone già il numero. Era come una ninnananna, l'unica che conoscesse, fatta di numeri e non di parole, scandita dalla rigida geometria delle mattonelle invece che dalle morbide rotondità di una melodia. Però si cimentava anche in calcoli assai più impegnativi. Per esempio, riempita la vasca, misurava il tempo che occorreva allo specchio per appannarsi. Da questo primo dato deduceva la temperatura approssimativa dell'acqua e se era più o meno calda del giorno precedente. E poiché nessuno le aveva insegnato nulla, tanto meno la matematica o anche un solo numero, si può intuire che gran talento avesse Lafemmina. Un talento del genere, applicato all'economia, avrebbe permesso al Grande Scomunicato di guadagnare onestamente tanti soldi quanti ne faceva truffando i suoi sudditi. Ma di certo il dittatore avrebbe obiettato che sarebbe stato molto meno divertente.

La sola esigenza dei numeri, comunque – al di là dei risultati – era la prova più evidente non solo delle straordinarie potenzialità di Lafemmina ma anche, innanzitutto, del suo disperato tentativo di dare un ordine al misero universo che le era stato riservato. Il problema maggiore di Lafemmina, ovviamente, era quello di attribuire un suono e un nome a numeri e cose perché, come detto, nessuno s'era degnato d'insegnarle nulla. Per questa ragione la reclusa inventò una lingua tutta sua che, anche se apparentemente strampalata, aveva delle regole grammaticali, delle eccezioni, delle declinazioni, dei verbi, dei tempi. I nomi con cui designava le cose, certo, quasi mai corrispondevano a quelli usati nel mondo esterno ma, possedendo la chiave per tradurla, ci si sarebbe accorti che quella lingua funzionava a meraviglia. Per quel che riguarda i numeri, Lafemmina, come la maggior parte dei bambini, aveva cominciato a contare sulle dita e avendone nove in tutto – per quel dito mancante che col tempo si era arbitrariamente stabilito essere l'anulare – costruì un sistema matematico fondato su nove numeri. Pur avendo individuato i nomi dei numeri nei discorsi che riusciva a rubare, Lafemmina li aveva però messi nell'ordine sbagliato. A parte questo le sue somme, opportunamente decriptate, davano lo stesso risultato che avrebbe ottenuto chiunque possedesse buone nozioni matematiche.

Il giorno in questione Lafemmina si trovava appunto nella vasca, immersa nell'acqua calda. Aveva appena finito la sua conta e i fiori di cactus galleggiavano sull'acqua mentre il vapore saliva in alto, s'attaccava al soffitto, si condensava e rigocciolava giù. Lafemmina sorrideva, stordita dal calore, quando, abbassato lo sguardo in mezzo alle sue gambe di adolescente, aveva visto una spirale rossa e vischiosa mischiarsi alla trasparenza dell'acqua.

"Maiala!" gridò piena di terrore, intendendo chiamare la madre con l'unico termine che conosceva, per averlo sempre sentito sulle labbra del padre che, a sua volta, la madre chiamava "signore" se era presente e "stronzo" se era assente.

La Reietta, pur sentendola strepitare, entrò con tutta calma nel bagno, vide la figlia disperata, la tirò fuori dall'acqua, le strofinò un asciugamano tra le gambe ed esaminatolo disse: "Hai il mestruo, idiota." Poi la vestì con dei mutandoni spessi e larghi, imbottiti con dei pannoloni di cotone e l'ammonì: "Questi te li lavi tu, io già faccio da sguattera allo stronzo," e se ne andò.

Lafemmina pianse le sue lacrime quotidiane, si mise una coperta di lana sulla pancia, si preparò una tisana calda e si rannicchiò su una sedia a guardare il vuoto. Rimase immobile fino a sera, quando la serva sbloccò la serratura. Lafemmina si alzò e sempre avvolta nella coperta si sedette a tavola con la madre e il padre. Era quella l'unica evasione che le era concessa, una volta l'anno, per il suo compleanno.

Il Grande Scomunicato, che normalmente non le rivolgeva la parola, vedendola conciata in quel modo disse: "Proprio il giorno del tuo compleanno devi vestirti come una stracciona?" e le strappò malamente di dosso la coperta. E così constatò che la figlia era imbottita anche sotto. La prese per le spalle e cominciò a scuoterla, chiedendole il perché di quella pagliacciata in una lingua che la ragazza capiva solo a brandelli. Poi, indispettito, la scaraventò a terra.

"Hai il mestruo, idiota!" urlò Lafemmina, imitando alla perfezione la madre e tenendosi la pancia che faceva un male cane.

Allora il Grande Scomunicato le si avvicinò e cercò di tirarle via con malagrazia gli stracci di cui s'era imbottita.

"Questi te li lavi tu, io già faccio da sguattera allo stronzo!" urlò di nuovo Lafemmina sbattendoglieli in faccia. Poi scappò disperata a chiudersi in camera sua.

Il Grande Scomunicato si voltò verso la donna dei Reietti. Aveva gli occhi infuocati e uno sguardo terribile. Le pezze insanguinate gli pendevano dalla testa calva, facendolo assomigliare a un polpo scannato.

"È vero?" domandò.

"Cosa?" fece guardinga la donna.

"Quando questo *stronzo* ti domanda una cosa, cara, rispondi in fretta. Se poi la risposta è sbagliata... non ti preoccupare che saprò fartelo notare con la dovuta cortesia," fece lui.

"Sì... Lafemmina ha... il suo ciclo... femminile..."

"Bene. E dimmi, tu che sei più pratica di me... questo vuol dire che sarebbe pronta a darmi dei nipoti?"

La Reietta fece segno di sì col capo, in atto d'estrema umiltà.

Il Grande Scomunicato, con la dignità di un papa, si levò le pezze dal capo, le piegò a una a una, le poggiò sul tavolo accanto al tovagliolo e si dispose a mangiare, con un serafico sorriso dipinto sul volto rugoso. Dopo cena godette dei servigi sessuali della moglie con un'attenzione particolare, come se dovesse essere l'ultima volta.

Il giorno successivo fece allestire un rogo in piazza dei

Martiri. Montata una grossolana accusa di adulterio, la Reietta fu giudicata colpevole d'alto tradimento.

Durante l'esecuzione, quando la Reietta non era ancora rosolata a dovere, il Grande Scomunicato si distrasse. Non aveva bisogno di meditare sulla collina per sapere cosa fare. In quanto donna, Lafemmina non poteva governare il regno ma sarebbe stata almeno regina madre. Su lei contava il Grande Scomunicato per l'affinamento della propria dinastia.

"Fa' che questa sia la volta buona," pregò, e le sue parole ascesero al cielo insieme alla crepitante voce delle fiamme, che ormai avevano spento per sempre le urla della Reietta.

LA TUA TESTA È MIA

Quando il Grande Scomunicato mette in chiaro le cose con Luis Veloce.

Per il giovane Luis Veloce, da quando aveva sentito parlare per la prima volta di Lafemmina, il clamore e i pettegolezzi del mercato cessarono d'incanto, come se avesse programmato il suo udito unicamente per collezionare informazioni su di lei e tutto il resto fosse niente. Si dedicò a raccogliere notizie su Lafemmina con un'avidità tale che in breve tempo avvampò di un amore sconsiderato senza aver mai visto di persona l'oggetto della sua passione. Ma intimamente era convinto di conoscerla meglio di chiunque altro. Fu informato delle straordinarie qualità dei neri riccioli di Lafemmina, capaci di riflettere la luce assorbita come un caleidoscopio; conobbe le misure della sua bocca, le più insignificanti sfumature dell'iride, la lunghezza e la proporzione del naso; apprese che aveva solo quattro dita nella mano sinistra anche se nessuno aveva mai capito quale fosse quello mancante; memorizzò le poche parole che Lafemmina aveva pronunciato nella sua vita e che qualche servo casualmente ricordava; riuscì a sapere a che ora si faceva il bagno, che olii e profumi prediligeva, cosa mangiava a pranzo e a cena, qual era il suo umore.

Ma soprattutto si fece un'idea di quanto orribile dovesse essere la sua segregazione, privata di ogni contatto umano, isolata dal mondo, senza una sola finestra dalla quale spiare almeno la vita sottostante, condannata all'astrazione della volta celeste per via di quel lucernario che di giorno le mostrava solo l'abbacinante luce del deserto e di notte un buio che Luis Veloce intuiva infinito.

Comunque aveva trovato la sua ragione di vita. Quella ragione superiore che lo aveva portato a essere tanto apatico fino al giorno in cui aveva sentito parlare di Lafemmina, come se avesse risparmiato energie per dedicarsi anima e cuore a lei e a lei soltanto.

Dopo aver tentato inutilmente di entrare a palazzo e di superare le troppe sentinelle di cui il Grande Scomunicato si circondava, architettò un'azione spericolata. Il piano – se tale poteva dirsi – consisteva nello scalare una parte della torre lanciando una corda alla spada dell'arcangelo Michele. Poi avrebbe proseguito aggrappandosi alle pietre più sporgenti che lo separavano dal lucernario.

Il giorno in cui decise di passare all'azione, rubò in un magazzino una lunga corda intrecciata , fece un cappio e la lanciò. Il caso volle che già al primo tentativo riuscisse nel suo intento. Il cappio si strinse intorno alla spada e Luis Veloce la tese, per saggiarne la resistenza. Poi iniziò l'ascesa. In quel momento le sentinelle di guardia al portone esterno se ne accorsero e diedero l'allarme. In un battibaleno più di venti armigeri, tutta la folla curiosa che frequentava il mercato e lo sbigottito Vandalo si radunarono alla base dell'ondeggiante corda. C'era chi minacciava, chi applaudiva, chi cercava di convincere Luis Veloce a desistere e chi invece lo incitava. "Ma è impazzito?" chiedevano gli uomini. Le donne trattenevano il fiato e si stringevano le mani al petto, dilaniate dalla preoccupazione e ammirando il coraggio di quel ragazzino. 'Allora è vero amore,' pensavano e si sforzavano di non guardare i propri uomini, sapendo che non avrebbero trovato nei loro occhi se non un'impercettibile traccia del sentimento che dava a Luis Veloce la forza di rischiare quell'impresa.

Richiamato dal trambusto, anche il Grande Scomunicato si affacciò nel cortile. Appena vide quel che succedeva prese per la collottola due armigeri e ordinò loro di raggiungere il ragazzo e di riportarglielo giù. Poi lanciò uno sguardo furioso a Vandalo e gli fece segno d'avvicinarsi.

"Lo sapevo che quel moccioso avrebbe piantato grane," ringhiò in faccia al ciabattino. "Ma questa volta è troppo."

Intanto Luis Veloce era a venti piedi d'altezza e le guardie lo stavano per raggiungere. Proprio quando uno degli inseguitori allungava la mano per afferrargli la caviglia, la corda, per via dell'eccessivo peso, si spezzò e il terzetto precipitò rovinosamente a terra.

Le donne gridarono.

Il Grande Scomunicato fu subito addosso a Luis Veloce, ancora intontito dalla caduta, lo sollevò e lo schiaffeggiò.

La folla arretrò rumoreggiando. Molte donne già si preparavano a piangere. Vandalo si buttò in ginocchio e implorò pietà per il figlio.

Il Grande Scomunicato mollò la presa.

Il ragazzo fronteggiò il dittatore a testa alta, gonfiando il torace.

"Sembra un principe vestito di stracci," scappò detto a una donna.

Il Grande Scomunicato, prima di parlare, guardò a lungo Luis Veloce perché stava pensando che avrebbe rinunciato volentieri a metà del suo regno per un erede così, mentre doveva accontentarsi di sei Deficienti e di quell'unica femmina che se non altro – il giorno prima – era diventata utile a qualcosa. Quando si decise ad aprire bocca, la voce del Grande Scomunicato era severa ma non gelida, tonante ma imbottita di bambagia. In fondo nutriva simpatia per Luis Veloce.

"Ragazzo," esordì, "conoscevo tuo nonno. E lo rispettavo. Conosco tuo padre. E diciamo che lo rispetto. Cosa t'ho fatto per meritare tanta ingratitudine? Credi che la mia pazienza sia senza fondo come quella di un certo ebreo? Ho tagliato teste per molto meno, sappilo."

"Non ho paura di te," ribatté Luis Veloce, cercando di dilatare ancora di più il torace.

"Ragazzo, smetti di gonfiarti d'aria o scoppierai."

"Affami la gente e tieni prigioniera la tua stessa figlia."

"E che vorresti fare? Liberare mia figlia e darla in pasto al popolo?" scherzò il Grande Scomunicato.

"Sei uno schifoso aguzzino," disse a denti stretti Luis Veloce.

Il Grande Scomunicato sentì montargli il sangue alla testa. Puntò l'indice contro Luis Veloce: "Parli come un rivoluzionario."

Vandalo, sapendo che la parola rivoluzionario in bocca a un potente equivaleva a una condanna a morte, si gettò ai piedi del Grande Scomunicato e lo implorò con ogni mezzo, in nome della sua abnegazione, dei servigi che gli aveva reso, in nome della sua onestà, del loro antico legame.

Il Grande Scomunicato – che non aveva intenzione di recidere una testa nella quale scorreva l'antico sangue dei Mentecatti – prendendo la palla al balzo disse: "Non devi neanche ritrattare, figliolo. È sufficiente che tu taccia."

Ma Luis Veloce ormai non poteva più trattenersi. "Io salverò Lafemmina," replicò. "Anche a costo della mia vita."

"E sia," gridò il Grande Scomunicato perdendo la pazienza. S'avventò su Vandalo, gli frugò nelle tasche del grembiule e ne estrasse una roncolaccia che l'artigiano usava per rifilare le dure e spesse suole di cuoio. Poi afferrò Luis Veloce per i capelli, lo piegò in ginocchio, gli tenne ferma la testa e gli scoprì la gola.

La folla era impietrita.

Avvicinò la lama alla carne indifesa e morbida del ragazzo. Vandalo piangeva disperato e si dibatteva inutilmente, tenuto fermo da dieci guardie. Allora, lentamente, il Grande Scomunicato affondò il taglio, ma non in maniera letale, e tracciò un circolo perfetto, un'incisione che correva tutt'intorno al collo del ragazzo. Quando ebbe finito lasciò cadere a terra Luis Veloce. "Questa cicatrice ti ricorderà per sempre che la tua testa è mia," disse furioso.

Ma Luis Veloce si rialzò, fiero e pallido come un fantasma, con il sangue che gli colava sulla camicia bianca, inzuppandola e disegnando un macabro collare rosso.

Il Grande Scomunicato stesso ebbe quasi soggezione di lui.

I servitori indietreggiarono, il cerchio di folla s'allargò, le guardie sfoderarono le armi.

Allora Luis Veloce si portò le mani intorno alla bocca e urlò con quanto fiato aveva in gola: "Ti amo, Lafemmina, e sempre ti amerò!" Poi, guardando il dittatore con gli occhi ancora più infuocati dal riflesso del sangue che gli sgorgava dalla ferita, gli promise: "La salverò, a costo di imparare a farmi ricrescere la testa."

Prima che il Grande Scomunicato potesse reagire, Vandalo, ergendosi in tutta la sua altezza e chiedendo ai suoi muscoli uno sforzo sovrumano, si liberò delle guardie. Raggiunse il figlio alle spalle, alzò una mano tremenda come un maglio, chiusa a pugno, e l'abbatté sulla testa di Luis Veloce, che s'accasciò di colpo, privo di sensi, come un animale stecchito. "E questo è solo l'antipasto, Eccellenza," disse allora il ciabattino al Grande Scomunicato, umilmente, con le lacrime agli occhi. "Lasciamelo, ti prego, è il mio unico figlio. A casa avrà il resto. Vedrai che saprò insegnargli a vivere."

Il Grande Scomunicato – provocando la meraviglia e l'invidia dei presenti – li lasciò andare. "Però se gli dai un altro pugno così, tanto vale che io gli tagli la testa e non faccia la figura del fesso," disse in un orecchio a Vandalo. "Non ha senso graziarlo se me lo ammazzi tu."

Il ciabattino cadde in ginocchio piangendo e gli baciò l'anello maledetto. Poi portò via Luis Veloce, buttandoselo in spalla, come una pelle vuota.

Per non far credere alla gente e ai suoi servitori che si era rammollito, durante la settimana seguente il Grande Scomunicato decapitò il giardiniere perché le rose erano sbocciate in ritardo, impiccò lo stalliere perché i cavalli invecchiavano e squartò il porcaro perché c'era poco pepe nelle salsicce.

LUNA DI MIELE

Quando Lafemmina mette al mondo due gemelli belli come lei ma con l'occhio torvo del Grande Scomunicato.

Forse perché intuiva che non era facile spiegare le scabrose faccende del sesso a una figlia – o probabilmente solo perché aveva un cuore di pietra – di fatto il Grande Scomunicato non mise Lafemmina al corrente dei suoi piani, ma semplicemente la scaraventò in una camera da letto nella quale il suo promesso sposo, opportunamente addestrato, la attendeva.

E quello, come la vide, le saltò addosso.

Dopo un attimo di smarrimento, Lafemmina reagì obbedendo alle informazioni geneticamente memorizzate dalle donne in secoli di violenze. Così, a calci e graffi, il primo assalto fu rintuzzato.

Ansimanti, i due contendenti si guardavano, studiandosi come gladiatori privi della vocazione al combattimento, appiattiti alle pareti opposte della stanza. Lui, rifiutato così strenuamente, ora vacillava, con gli occhi accesi di stupore. Rimase lì, fermo, a fissare la sua preda.

Erano due ragazzi, lei di appena tredici anni, lui di quindici.

Lei non aveva mai visto un ragazzo. Lui non aveva mai toccato una ragazza. A lei non avevano insegnato nulla, nemmeno a parlare, al punto che s'era dovuta inventare una lingua tutta sua. A lui, invece, era impossibile insegnare qualcosa poiché era Terzo, il terzo dei sei figli Deficienti del Grande Scomunicato.

I due ragazzi erano entrambi prigionieri nella stanza nuziale, messi di fronte alla vita com'era e come non avrebbe mai dovuto essere. Lei pregava con tutte le parole che aveva rubato, anche se non ne comprendeva il significato, solo per fare rumore. Lui ascoltava, senza capire, pensando che non aveva mai immaginato che una ragazza potesse essere così incantevole e avere una voce più soave.

Fu allora che Terzo sentì il cuore colmarsi di emozioni. Provò una struggente nostalgia per tutto quello che la ragazza e la sua voce evocavano, come se – pur Deficiente – avesse una memoria primordiale della felicità. In un attimo s'innamorò perdutamente di quella meravigliosa preda e cominciò a singhiozzare così forte e senza ritegno che Lafemmina lo raggiunse al centro della stanza, dove s'era accasciato.

"Ti amo..." mormorò Terzo tranquillizzandosi.

Lafemmina, pur non comprendendo il significato di quell'affermazione, ebbe un soprassalto. Quelle parole erano già arrivate fino in cima alla torre, entrando nella sua prigione, pochi giorni prima, urlate da una voce giovane e roca. E subito aveva sentito vibrarle dentro qualcosa, come un solletico al cuore e forse anche alla pancia.

"Ti amo..." disse ancora il Deficiente.

Ora Lafemmina le ascoltava di nuovo ma non producevano lo stesso effetto. E cominciò a capire che le parole – tanto nella propria lingua quanto in quella ufficiale – non avevano un valore in sé, assoluto, ma dipendevano da qualcosa di più sottile e misterioso. Qualcosa che era nella voce dello sconosciuto che aveva urlato ai piedi della torre, convinta com'era che quell'urlo incomprensibile, pieno di sentimenti contrastanti, fosse destinato proprio a lei. Qualcosa che non era nella voce di Terzo. Ma, fidandosi delle emozioni suscitate dallo sconosciuto, decise che anche Terzo non poteva aver inteso qualcosa di brutto.

Si accoccolò accanto al Deficiente, rassicurata. Gli prese il capo, tondo e bozzuto come una zucca e rosso come una rapa, e cominciò ad accarezzarglielo dolcemente. Terzo si addormentò in un attimo. Allora, non avendo mai avuto una bambola, ed essendo ancora una bambina, Lafemmina si divertì a giocare con quel pupazzo cresciuto. Mentre Terzo dormiva gli ravviò i capelli e gli aggiustò il colletto della camicia, gli tirò giù le maniche della giacca che s'erano scompostamente arricciate sugli avambracci pelosi e gli allentò la cinta dei pantaloni che torturava la pancia. Gli adagiò la testa sul proprio scialle, ripiegato a cuscino, prese una coperta dal talamo – unica concessione riservata al bestiale congiungimento che aveva organizzato per loro il Grande Scomunicato – lo coprì e lo guardò russare, ridendo della guancia butterata che si gonfiava e sgonfiava ritmicamente.

Poi, mentre russava, il deficiente prese a smaniare, portandosi le mani alla pancia. Lafemmina, pensando che la cinta fosse ancora stretta, gliela allentò ulteriormente. Poi, incuriosita alla vista di un rigonfiamento proprio sotto la cinta, fece uscire dalle asole due bottoni della patta, scostò i lembi delle mutande ed estrasse con estrema cautela un pezzo di carne rosa pallido, con una fragola in cima. E mentre Terzo russava sempre meno, Lafemmina si rigirò la carne tra le mani, osservandola attentamente.

A quel punto Terzo si svegliò e guardò Lafemmina con occhi riconoscenti. "Ti amo," ripeté.

Lafemmina, sentendo ancora le due parole, sorrise.

Terzo si sentì incoraggiato da quell'inizio. Passò ai fatti, rinnovando le sue profferte. E Lafemmina dovette rassegnarsi all'idea che quella carne che sbucava dalle mutande aveva una cattiva influenza sul ragazzo. Così dovette ricorrere a una seconda somministrazione di calci e graffi.

Terzo dormì per terra, quella notte. Lafemmina invece si mise a letto e lasciò sbucare una mano fuori dalle coperte, come una liana, alla quale Terzo si attaccò con la scimmiesca dolcezza del suo demente amore.

Al mattino il Grande Scomunicato mandò una levatrice nella stanza a constatare l'avvenuto congiungimento. La donna, dopo l'ispezione, scosse la testa.

"No?" urlò il Grande Scomunicato e subito si precipitò nella stanza, congelando i sorrisi che i due casti amanti si scambiavano per colazione. "Brutto incapace, non l'hai scopata?"

Terzo si aggrappò tremante alle sottane di colei che avrebbe dovuto stuprare. Il Grande Scomunicato gli fu sopra e lo colpì. Allora Lafemmina piantò le unghie sul viso paonazzo del padre. Il Grande Scomunicato, invece di reagire, si fermò, spiazzato. Indietreggiò e li guardò intensamente, come vedendoli per la prima volta.

"Perché ti difende?" chiese stupito a Terzo.

"Perché mi ama."

"E allora scopala!"

"A me andrebbe ma lei non vuole."

"Scopala!"

"Non posso, mi picchia."

"Preferisci essere buttato in un pozzo profondo e buio…"

"No…"

"...insieme a topi affamati e serpenti velenosi?"

"No, no!"

"E allora scopala, perdio!"

"Ma come faccio?"

Il Grande Scomunicato ringhiò una bestemmia e poi assestò un manrovescio tremendo a Lafemmina, perché non era tipo da dimenticare le offese. Uscì dalla stanza e nel giro di pochi attimi rientrò con due corde spesse, dure e ruvide, con le quali immobilizzò la figlia a letto, a gambe divaricate. Infine le alzò la gonna e le strappò via le mutande. Minacciò per l'ultima volta Terzo e si tirò dietro la porta.

I ragazzi sentirono il chiavistello raschiare e stridere nella serratura e poi niente, se non i propri respiri. Terzo cominciò sommessamente a piagnucolare e a spogliarsi. Quando fu nudo, il suo torace carenato brillava di un torrente di lacrime. Ma la carne che aveva tra le gambe prese ugualmente vita, spronata dal desiderio e retta dalla paura.

"Scusa... scusa..." ripeteva Terzo montandole addosso.

Lafemmina non conosceva quella parola ma la detestò subito. Aveva il suono stonato delle fregature. Poi, mentre Terzo guidava la propria carne nella sua, venne un dolore lancinante, seguito da uno strappo e da uno sgradevole bruciore. Le tornò in mente la serratura che raschiava e strideva, ferro contro ferro, mentre il chiavistello la forzava, e pensò che qualcuno avrebbe dovuto oliarla. Chiuse gli occhi e cercò d'immaginarsi nella propria stanza, il naso puntato al lucernario, in alto, oltre il dolore e l'umiliazione, oltre il paese, oltre la terra, nel cielo buio. E pensò allo sconosciuto che aveva urlato la frase che lei ancora non comprendeva ma che non poteva certo significare quel dolore umiliante che le stava infliggendo Terzo.

'Ti amo, Lafemmina, e sempre ti amerò,' ripeteva nella sua testa la figlia del Grande Scomunicato. E a quell'incomprensibile messaggio la ragazza affidò la propria sopravvivenza. Si concentrò solo su quello, ripetendolo e ripetendolo.

Intanto Terzo l'aveva assaltata una seconda volta. E poi la prese tante volte quante poté, come se intuisse, seppur Deficiente, che non l'avrebbe mai più rivista.

Il giorno che Lafemmina fu giudicata gravida dalla levatrice, Terzo fu riportato nello stanzone dei suoi fratelli e lì si tolse la vita. Gli altri cinque, essendo venuto a mancare Terzo, divennero gli stalloni di riserva e vissero finché Lafemmina mise al mondo due gemelli, belli come lei ma con l'occhio torvo del nonno.

Nell'ordine in cui erano nati, Primo, Secondo, Quarto, Quinto e Ultimo detto Basta, uno per notte, furono soffocati da un servitore fidato. Avevano venti, diciotto, quattordici, tredici e dodici anni. Le bare nelle quali riposavano i loro cadaveri furono accatastate provvisoriamente in una stanza del mausoleo, accanto a quella di Terzo che li aveva preceduti spontaneamente.

In paese fu fatta circolare la notizia che la causa della morte era stata un'intossicazione alimentare. Ma da quel momento il Grande Scomunicato fu temuto ancora di più perché la levatrice era una chiacchierona pettegola e raccontò in giro sia la faccenda di Lafemmina che quella dei sei Deficienti.

Così chiunque, nell'arco di poche ore, seppe che il Grande Scomunicato era un uomo capace di uccidere i suoi stessi figli.

L'ATTESA

Quando Lafemmina riceve una promessa ma il Grande Sco-
municato scombina i piani.

Il Grande Scomunicato era così esaltato dalla nascita dei
due eredi che decise di celebrarne l'arrivo – e la generale
prosperità del paese – con una festa straordinaria, che le
generazioni future potessero ricordare come leggendaria.

La cosa fu organizzata con stile e il Grande Scomunicato non badò a spese: la luce maligna che aveva visto scintil-
lare negli occhi dei due nipoti era la conferma che il suo
progetto sarebbe andato avanti. Festoni, girandole, fuochi
d'artificio, spettacoli teatrali, vino a fiumi, donne e uomini
che s'accoppiavano orgiasticamente in mezzo alle vie affol-
late, fu fatto tutto quanto serviva a rendere memorabile
l'avvenimento. Furono organizzate gare, con l'immancabi-
le strascico di scommesse, premi e scorrettezze. Per l'occasione il Grande Scomunicato ordinò alla polizia di chiude-
re un occhio su borseggi, truffe e ogni atto criminoso che
avrebbe accompagnato i festeggiamenti, quasi che ne fossero un indispensabile corredo.

"Che diamine!" sentenziò. "Ogni tanto l'uomo ha il dovere di ricordare chi è e da dove viene."

Alla fine dei tre giorni previsti, il paese era devastato, la gente mezza morta, le donne ingravidate una sì e l'altra no, ogni marito cornuto e adultero, i mercanti svaligiati, ogni Deficiente truffato. E tutti, indistintamente, erano felici. "Questa sì che è stata una festa memorabile!" dicevano, leccandosi le ferite.

Poi, il giorno dopo, un araldo del Grande Scomunicato fece il giro del paese annunciando a gran voce che la pacchia era finita un'altra volta e che ciascuno doveva rimettere in piedi quello che era stato devastato – a sue spese naturalmente – e che i danni di pertinenza governativa sarebbero stati risarciti con un nuovo dazio, detto "della festa". Eppure nessuno protestò e anzi tutti sperarono che presto nascessero nuovi eredi o che si verificasse qualsiasi altro avvenimento da celebrare perché, come dicevano, "Si vive una sola volta!"

Alla festa aveva partecipato – se si può chiamare partecipazione – anche Lafemmina. Aveva assistito a tutto, senza mai andare a dormire, dal tetto del palazzo.

Il permesso glielo aveva dato il Grande Scomunicato e aveva posto una sola condizione: che non prendesse parte alla festa e che la osservasse dal tetto del palazzo, saldamente legata a un comignolo, in modo da assicurarsi che non cadesse di sotto. In quei tre giorni i neonati furono affidati alle cure della balia. Lafemmina, dopo il lungo periodo di reclusione cui era stata condannata, si ubriacò alla vista di tutta quella gente e sicuramente, se si fosse potuta unire fisicamente ai festeggiamenti, ne sarebbe uscita morta. Nonostante le corde con le quali era legata le ricordassero lo stupro, non un solo istante si lamentò della sua condizione. Decifrò nuove parole, immagazzinò dati, studiò la differenza tra Reietti e Deficienti, decise quel che era irrimediabilmente brutto e quello che invece l'affascinava, scoprì che esistevano giovani innamorati che non avevano bisogno di corde per stringere legami e donne meno orribili di sua madre. Comprese inequivocabilmente che tutti, persone e cose, dipendevano da suo padre, da un suo starnuto, da un suo capriccio e che, se lui lo avesse voluto, niente di quello che lei vedeva sarebbe esistito. Comprese che la realtà era una bizzarria, un'anomalia, il prodotto della volontà di pochi e che il paese, nella fattispecie, era un'invenzione impazzita del Grande Scomunicato.

Ma era destinata a scoprire qualcosa di più sensazionale ancora, l'ultimo giorno, durante l'ultima ora della festa.

Luis Veloce, appena aveva saputo che Lafemmina avrebbe preso parte ai festeggiamenti, si era messo a cercarla come un cane da caccia impazzito. Era la sua occasione di incontrarla, si ripeteva. Non dormì un solo istante in quei tre giorni. Né mangiò. A mano a mano che le ore passavano, l'ansia di Luis Veloce cresceva. E allora cercava Lafemmina con ancora maggior foga, se possibile. Si passava nervosamente la mano sulla cicatrice spessa e rossastra che gli girava intorno al collo. E tanto era l'amore per Lafemmina, quanto era l'odio per il Grande Scomunicato.

A un'ora dalla chiusura della festa, Luis Veloce era scoraggiato. Aveva ormai perso ogni speranza. Si sedette su una panca di pietra contro il muro di una casa, senza rendersi conto che era il palazzo del Grande Scomunicato. Si prese la testa tra le mani. Chiuse gli occhi. E si arrese.

Fu allora che udì distintamente, in mezzo al cicaleccio dei paesani, la voce melodiosa di una ragazza che diceva a gran voce, felice: "Ti amo, Lafemmina, e sempre ti amerò!"

Sul tetto, legata al comignolo, Lafemmina aveva appena decifrato la frase che aveva ascoltato nella sua torre e che tanto l'aveva colpita. Solo in quel momento aveva compreso cosa volesse dire. Adesso quei suoni armoniosi che l'avevano fatta palpitare avevano un significato, una traduzione. E allora, nell'esatto momento in cui aveva decifrato la frase, l'aveva urlata, con tutta la gioia di scoprire l'amore dentro di sé.

E nell'istante in cui si intristì, perché quell'amore non aveva né un volto né un nome, abbassando lo sguardo vide un ragazzo bruno, con dei luminosi occhi verdi, da gatto, e una strana collana rossastra, come di coralli stinti e opachi, per la quale provò una profonda attrazione invece che esserne respinta. Il ragazzo si muoveva piano, come se fosse spossato e insieme sorpreso. Guardava verso l'alto, a bocca aperta, con lo sguardo sgranato.

I loro occhi si incontrarono e si allacciarono. I due ragazzi rimasero così, immobili, incapaci d'altro. Lei era diventata madre dopo uno stupro incestuoso. Lui era un giovane eroe che vedeva per la prima volta l'amata. Lei aveva appena scoperto l'esistenza dell'amore. Lui la amava da tutta la sua breve vita.

"Ti amo, Lafemmina, e sempre ti amerò," le disse Luis Veloce.

E Lafemmina pensò che non c'erano altre parole che avrebbe voluto ascoltare, fino alla fine dei suoi giorni.

Tutt'intorno era sceso il silenzio, per i due ragazzi. Come se il paese si fosse azzittito perché Lafemmina e Luis Veloce potessero ascoltare una il respiro dell'altro, nonostante li separasse un baratro.

"Sei tu," disse piano Lafemmina.

Luis Veloce fece segno di sì con la testa.

Lafemmina provò a sporgersi in avanti, per guardarlo meglio, laggiù in basso, ma le corde la inchiodavano al comignolo.

Allora Luis Veloce si aggrappò a un tubo di scolo che scendeva giù dalla grondaia e cominciò a scalare il palazzo. La grondaia cigolava pericolosamente, qualche pezzo di pietra friabile si staccò, qualche perno cedette, una scaglia di ardesia planò affettando l'aria. Lafemmina tratteneva il fiato. Luis Veloce invece pensava solo a raggiungerla.

E alla fine fu sul tetto, a due passi da lei.

Colmò la distanza più veloce che poté. Ma a Lafemmina parve di morire in quel tempo. Poi Luis Veloce le si inginocchiò davanti. E di nuovo tornarono a guardarsi negli occhi, senza dire una parola. Adesso i respiri s'intrecciavano in quella poca aria che distanziava le loro labbra.

"Non slegarmi," sussurrò Lafemmina.

"Voglio portarti via," disse Luis Veloce.

"Non posso."

Di nuovo rimasero in silenzio. Nessuno dei due aveva bisogno di raccontare a parole il proprio amore. Bastava quel che avevano nello sguardo.

E poi, troppo presto, suonarono le campane che decretavano la fine della festa. I due innamorati sentirono la botola del tetto che veniva aperta.

"Vattene," disse Lafemmina. "Non farti trovare, ti prego."

"Non mi troveranno," disse Luis Veloce. Avvicinò le proprie labbra a quelle di Lafemmina e la baciò. "Disegna una piantina che mi permetta di arrivare alla tua stanza. Dalla a un servitore fidato e digli di infilarla nella bocca della statua di San Sebastiano, all'angolo." Poi scivolò agilmente lungo le scaglie di ardesia del tetto e si nascose dietro un decoro in pietra. Da lì non perse di vista un solo istante Lafemmina mentre la slegavano e la portavano via. Quando se ne furono andati tutti, Luis Veloce ridiscese lungo la grondaia.

Non era ancora giunto a terra che due guardie, ripreso il servizio, lo avvistarono. Luis Veloce saltò sul lastricato polveroso della via e se la diede a gambe. Ma una delle due guardie lo riconobbe e fece la sua relazione al Grande Scomunicato.

Il giorno dopo Luis Veloce estrasse un biglietto dalla bocca della statua di San Sebastiano, con il cuore in subbuglio. Srotolò il biglietto. Non era la piantina che si aspettava di trovare. Era un messaggio e diceva: "D'accordo, ci ho pensato. Cocciuto come sei saresti davvero capace di farti ricrescere la testa. Ma che ne diresti se tagliassi quella di tuo padre? Gira al largo da mia figlia. Il Grande Scomunicato."

Lafemmina, quella sera, lasciò aperta la finestra e anche la porta della sua nuova camera da letto, al primo piano, accanto a quella dei due neonati, che dormivano con la balia. La torre inaccessibile non era più la sua prigione. Uno stupro e un parto gemellare le avevano garantito una vita quasi normale.

Ma quella sera, per Lafemmina, non c'era nulla di normale. Al contrario, era tutto eccezionale. Aveva disegnato con precisione la piantina per il suo amato e l'aveva affidata a una serva che le sembrava fedele.

E la serva non avrebbe tradito la sua padrona, ma era stata intercettata dalle spie che il Grande Scomunicato aveva sguinzagliato intorno alla figlia. La serva era stata perquisita ed era stata trovata la piantina. Il Grande Scomunicato l'aveva stracciata in mille pezzi e aveva scritto il biglietto per Luis Veloce. Poi aveva rivolto una semplice domanda alla serva: "Vuoi collaborare e non dire mai nulla a mia figlia di tutto questo o devo farti sgozzare?" La serva aveva messo il nuovo biglietto in bocca a San Sebastiano e non aveva confessato nulla alla sua padrona.

Perciò Lafemmina, all'oscuro dei fatti, era convinta che quella sera sarebbe stata speciale. Il suo amato si sarebbe introdotto furtivamente nel palazzo, per una via o per l'altra, e l'avrebbe raggiunta in camera. E l'avrebbe baciata.

Lafemmina provava ancora la sensazione sulle proprie labbra. Sembravano solcate da milioni di insetti impazziti che le procuravano un inestinguibile solletico. E il solletico, attraverso le diramazioni nervose, dalle labbra le scendeva per il collo, le invadeva il petto, le uncinava i capezzoli e l'addome, diffondendo una calda eccitazione. 'Ho un'orchidea in bocca,' aveva pensato. 'E ha messo radici.'

Quella sera, fantasticava Lafemmina, quel solletico sarebbe stato placato dalle labbra del suo amato. E i baci avrebbero fatto lievitare l'eccitazione e l'amore, come un dolce ben riuscito.

Fu durante quell'attesa che Lafemmina divenne donna, anche se era già madre.

Ma la sera arrivò e si portò dietro la notte e poi il mattino e il suo amato non era ancora comparso alla porta.

"Sarà domani," si disse Lafemmina.

Ma non fu neanche l'indomani. E nemmeno il giorno dopo o quello dopo ancora. E nemmeno la settimana seguente. Né il mese successivo.

Dopo due mesi di attese disilluse, Lafemmina si rese conto che aspettava qualcuno di cui non sapeva neanche il nome.

IL TRADIMENTO

Quando il Grande Scomunicato fa finta di non sapere perché Lafemmina si veste sempre di nero.

Ogni mattina, svegliandosi, Lafemmina guardava la luce filtrare dalla grande porta finestra della sua camera da letto. E subito detestava quella luce e rimpiangeva la sua antica prigione, in cima alla torre. Ripensava con struggente nostalgia alla sua reclusione e a quel mondo passato e striminzito, dove tutto era noto e sicuro, dove tutto aveva un peso e una misura.

Guardava l'ariosa porta finestra della sua nuova stanza senza lucchetti e scuoteva il capo in un reiterato no, come a frenarsi. E invece ogni mattina cedeva e apriva quella finestra sul mondo mormorando: "Maledetta libertà." Allora, a piedi nudi, con i capelli ancora arruffati e gli occhi stretti come due fessure per proteggersi dalla luce del deserto, avanzava sul terrazzo, fino al parapetto, e s'affacciava in strada. Scrutava tra la gente, trattenendo il fiato, cercando lo sconosciuto. Poi, delusa, rientrava in camera, chiudeva la finestra e tirava le pesanti tende. Si sedeva sul bordo del letto e tornava a rimpiangere la sua prigione senza finestre perché, a quei tempi, non cercava nessuno e se anche avesse voluto farlo non si sarebbe potuta affacciare in strada e rimanere delusa.

"Sei una stupida," si diceva ogni mattina.

Lo sconosciuto le si era incistato nel posto più segreto del cuore, come una malattia. Le aveva fatto scoprire cosa poteva essere la vita. E poi gliel'aveva levata, senza un perché. E questa sua nuova condizione era una prigione più terribile di quella fisica della sua infanzia.

Lafemmina non smise mai di sperare, seppur disperatamente, e di cercarlo. Ma di amici non ne aveva e i servi ai quali chiedeva aiuto si facevano indietro, timorosi del Grande Scomunicato.

Il Grande Scomunicato, per parte sua, era a conoscenza dei tentativi della figlia e sapeva che sarebbe riuscito a neutralizzarli all'infinito, se avesse voluto. Ma nello stesso tempo aveva paura che questo portasse la figlia a ingigantire qualcosa che invece, nella realtà, probabilmente si sarebbe sgonfiato in fretta. Perciò lasciò che una serva, ai suoi ordini, collaborasse con Lafemmina per trovare quel che cercava.

Quando Lafemmina seppe il nome dello sconosciuto, le sembrò di sentirlo ancora più vicino, ancora più dentro. Per dei giorni sussurrò il suo nome, sperando che un refolo gentile portasse la propria voce all'orecchio dell'amato e lo guidasse da lei.

E ogni giorno, anche più d'una volta al giorno, Lafemmina accampò una scusa per andare a trovare il Grande Scomunicato nel suo studio, ponendogli questioni di nessun conto che lo irritavano. Ma Lafemmina non si curava delle sue reazioni, si avvicinava alla finestra dello studio e guardava la bottega del ciabattino, nel cortile. Vedeva il padre del suo amato seduto al banchetto, con la bocca piena di chiodi. E a volte vedeva lui, Luis Veloce. E allora il mondo sembrava fermarsi. E le pareva di sentire il suo odore, il battito del suo cuore, il fruscio dei suoi capelli.

La settimana successiva Lafemmina diede alla serva un biglietto per Luis Veloce, sul quale aveva scritto: "Mio amore, al tramonto sarò alla tua porta. Aprimi, ti prego."

Luis Veloce, rincasando all'ora di pranzo, vide una serva di palazzo sgattaiolare via da casa sua, dopo essersi chinata a infilare qualcosa sotto la porta. "Ehi, tu!" la chiamò, ma quella accelerò il passo e si perse in un mercato. Luis Veloce entrò in casa e raccolse da terra un biglietto piegato in quattro. Lo aprì e lesse: "Mia figlia busserà alla tua porta, al tramonto. Dalla mia finestra guardo tuo padre seduto al suo banchetto. È un piacere vederlo così, tutto intero, con la testa saldamente attaccata al resto del corpo."

Luis Veloce si sentì ribollire di rabbia. Poi prese il sopravvento la ragione e con la ragione venne il dolore. E il dolore e la ragione gli suggerirono cosa avrebbe dovuto fare.

Al tramonto, quando Lafemmina bussò, Luis Veloce andò pigramente ad aprire. Socchiuse la porta, sbirciò fuori e poi, senza entusiasmo, disse: "Ah, sei tu…" Aprì di più la porta, mostrandosi a torace nudo e con i pantaloni mezzi slacciati. Lafemmina, anche nascosta da un lungo velo, per non farsi riconoscere in paese, era di una bellezza da togliere il fiato. Luis Veloce pensò che non ce l'avrebbe fatta. Ma aveva studiato un buon piano. Infatti nell'attimo stesso in cui il suo sguardo stava per tradirlo, una giovane donna, uscendo discinta dalla sua camera da letto, lo chiamò, con la maliziosa e lagnosa voce che il sesso interrotto lascia in gola agli amanti.

Lafemmina fece un passo indietro, come colpita da un pugno, e abbassò lo sguardo a terra.

Luis Veloce le disse: "Allora, che volevi?"

Lafemmina, mentre gli occhi le si riempivano di lacrime, si voltò e se ne andò.

Con uno strazio che non aveva mai immaginato, Luis Veloce chiuse la porta, quasi con urgenza, perché non poteva sopportare la vista del dolore di Lafemmina.

"Tutto qua? Abbiamo fatto?" gli chiese sorridendo la giovane, che era una prostituta professionista. "Credevo che ti avrebbe fatto una scenata. Pensa che la moglie…"

"Non mi interessa," la interruppe sgarbatamente Luis Veloce. Si frugò in tasca, prese dei soldi e li porse alla prostituta. "Eccoti quanto avevamo pattuito."

La prostituta gli sorrise. "Con un piccolo extra rimango nel tuo letto… ma questa volta sul serio."

Luis Veloce non le rispose. Non la sentì nemmeno. Era come se non esistesse. E perciò la prostituta se ne andò.

Dopo pochi attimi bussarono ancora alla porta. Luis Veloce aprì, certo che la prostituta avesse dimenticato qualcosa. Invece si ritrovò di fronte Lafemmina.

Aveva gli occhi gonfi e arrossati, come se avesse pianto per delle settimane e non solamente per pochi minuti. E in quello sguardo bagnato di lacrime Luis Veloce si specchiò e riconobbe tutto il proprio dolore. Ed ebbe il timore che Lafemmina potesse morirne, così come era certo che sarebbe successo a lui.

"Non ci credo," disse Lafemmina, con fierezza.

Luis Veloce non rispose. Aveva paura della sua stessa voce. Aveva paura delle parole che gli sarebbero potute uscire di bocca.

"Mi hai fatto una promessa e ora dovrei credere che te ne sei dimenticato?" disse Lafemmina.

Luis Veloce continuò a non rispondere. Aveva paura delle proprie labbra, che non desideravano altro che baciarla. Aveva paura delle proprie mani che volevano accarezzarla, delle proprie braccia che volevano stringerla a sé.

"Be', non ci credo," disse Lafemmina.

Luis Veloce si mise una mano in tasca e strinse il biglietto con le minacce del Grande Scomunicato a suo padre.

"Non ci credo, mio amore," ripeté Lafemmina, quasi rinfrancata da quel silenzio, cominciando a intravedere i veri sentimenti di Luis Veloce, anche attraverso l'artificiale gelo del suo sguardo. E fece un passo avanti, verso di lui, allungando una mano.

"Vattene!" urlò allora Luis Veloce, con quanto fiato aveva in gola. Aveva le vene del collo gonfie, le mani strette a pugno, gli occhi iniettati di sangue e una isterica violenza nella voce. "Non riesci a capirlo? Lasciami in pace!" Poi, ancora per vigliaccheria, per non vederla crollare, accartocciarsi su se stessa, chiuse la porta e si lasciò cadere a terra.

Lafemmina era senza fiato. Le urla di Luis Veloce le avevano fatto volare via il velo dalla testa.

La gente che passava la guardò e la riconobbe.

Ma Lafemmina non se ne curava più. Anche lei si lasciò cadere a terra, dall'altra parte della porta, e pianse in silenzio. E ripeteva: "Non ci credo..." Ma sempre più debolmente.

Dall'altra parte, con l'orecchio attaccato alla porta, Luis Veloce la ascoltava a occhi chiusi. E a mano a mano che sentiva crollare la fiducia e la speranza di Lafemmina, da un lato si rendeva conto di stare vincendo la propria battaglia, dall'altro la vittoria era la sua peggiore sconfitta perché, di sussurro in sussurro, perdeva la sua amata, proprio quando avrebbe potuto prenderla. "Vattene..." bisbigliava senza farsi sentire. E subito dopo diceva, ancora più piano: "Resta..." E poi ancora: "Vattene..."

I due amanti passarono così la notte. Per terra, divisi da una porta senza lucchetti e senza sbarre che nessuno dei due riuscì più ad aprire.

All'alba, per non dare troppo scandalo, il Grande Scomunicato ordinò a due armigeri e alla serva di riportare a casa la figlia.

"Sei una madre, ora," le disse. "Non una qualsiasi puttana."

"Sì," gli rispose Lafemmina, con quel po' di voce che le era rimasta. Se ne andò in camera sua, convocò il sarto e si fece cucire un abito nero, lungo fino ai piedi, senza scollature, né davanti né dietro, con un collo alto, allacciato sotto il mento da piccole perle nere. Indossò dei guanti di garza nera e una veletta, appuntata ai capelli raccolti a crocchia.

"Come ti sei vestita?" le chiese il giorno successivo il Grande Scomunicato. "Mi fai tristezza."

"Sono a lutto," disse Lafemmina.

"Chi è morto?" le domandò il padre, pur sapendo perfettamente a cosa si riferiva.

"Non ti riguarda," gli rispose la figlia.

Il vecchio dittatore non aveva la minima idea di che cosa fosse l'amore. Perciò pensò che le sarebbe passato in fretta. "È ora di allattare i gemelli," le disse e poi lasciò la stanza.

Lafemmina, a testa bassa, prese i due figli e se li attaccò al seno. Mentre i due neonati succhiavano il latte, Lafemmina si lasciò trasportare dai pensieri. Immaginò di bussare alla porta di Luis Veloce. Lo immaginò che le apriva, la prendeva in braccio e la portava in casa come una sposa fresca di matrimonio. E immaginò che la adagiava sul letto e poi la ricopriva di baci.

In quel momento uno dei gemelli, quello attaccato al seno sinistro, le morse il capezzolo con i due dentini aguz-

zi che aveva appena messo. Lafemmina gridò di dolore e si
staccò il piccolo dal seno. Una goccia di sangue si mischiò
al latte che il neonato aveva sbavato sulla pelle della madre.

Lafemmina se lo riattaccò al seno e per qualche tempo
non pensò a Luis Veloce. Ma appena riprese a pensarci,
subito il neonato tornò a morderla, con ancor più violenza
di prima. L'altro gemello, invece, non dava segni di quella
che Lafemmina catalogò senza il minimo dubbio come
gelosia.

'Ecco,' pensò, 'non siete più gemelli.'

L'ANELLO MALEDETTO

Quando il Grande Scomunicato viene abbandonato dal proprio destino.

La vita di Lafemmina fu totalmente rivoluzionata dalla nascita dei gemelli. Non solo perché pose fine alla sua reclusione e la consegnò alla vita del paese, ma perché da quel momento in poi il Grande Scomunicato la tenne in grande considerazione. Non certo per un affetto tardivo né per riconoscenza né per sensi di colpa, ma per ovvie ragioni di comodo: era la madre che avrebbe provveduto a crescere sani e forti gli eredi.

Ma perché fossero educati in modo consono, ragionò il Grande Scomunicato, intanto che i gemelli erano ancora nello stato semilarvale di poppanti, doveva dare un'assestata allo strampalato mondo della figlia. Le insegnò a scrivere e a parlare in modo da essere compresa – anche se durante i tre giorni della festa del paese Lafemmina aveva decifrato un gran numero di parole – e riordinò la sequenza ufficiale dei numeri che sua figlia aveva tanto ingegnosamente disordinato.

Lafemmina imparò con facilità parole e regole grammaticali ma non ripudiò mai la lingua che s'era costruita autonomamente. Quando il Grande Scomunicato le faceva notare che in paese nessuno parlava o comprendeva la sua vecchia lingua, Lafemmina rispondeva che, nonostante quelle stesse considerazioni valessero anche per il latino su cui si reggeva il suo intero apparato ecclesiastico, nessuno lo metteva in discussione.

"Forse in certe occasioni mi fa comodo che non si capisca quello che dico," le confessò un giorno il Grande Scomunicato con un'aria furba e maliziosa.

Lafemmina non replicò. Ma fece un sorriso assai più furbo e malizioso di quello paterno e il Grande Scomunicato capì che anche per lei valeva la stessa regola. Questo accrebbe la sua stima nei confronti della figlia, per quanto fosse pienamente consapevole che gli intenti della figlia non erano mai malvagi.

La peculiarità della nuova lingua ufficiale, per Lafemmina, consisteva in un difetto di precisione. Non era una lingua accurata. La ricchezza del vocabolario cercava di mascherare la scarsa qualità. Le parole non avevano un carattere ben preciso.

"È la lingua perfetta per i gemelli," disse al padre.

"Che intendi?" chiese quello.

"È una lingua che significa una cosa e ne dice un'altra. È una lingua imbrogliona. Come i tuoi due nipoti. Per esempio, tu credi di sapere quale dei gemelli stai accarezzando perché sta a destra o a sinistra nella culla, no? Il tuo unico punto di riferimento è quello. Ma chi ti dice che io non li abbia scambiati e che quindi tu faccia la carezza al nipote sbagliato?"

"Ed è così?" domandò il Grande Scomunicato.

"Sì, i tuoi nipoti sono come la lingua che m'insegni. Sono una cosa ma anche un'altra, identici e diversi."

"Volevo dire: è vero che li scambi di posto?"

"Se ti dicessi di no come potresti verificare che mento?"

"Bambina mia, spero che tu abbia trasmesso metà della tua intelligenza a questi due. Se è così saranno imbattibili."

"Invece saranno solo dei truffatori. Perché il fatto di essere identici è una tara e non un vantaggio," disse Lafemmina con quella lieve nota di malinconia che caratterizzava il suo modo di parlare.

"Non sono affatto convinto che essere due truffatori sia un male," rise orgoglioso il nonno e li accarezzò entrambi. Ma il dubbio che Lafemmina gli aveva inoculato lo indusse a ritirare la mano. "E tu? Li sapresti riconoscere?" chiese.

"Io sì. Ma per il loro differente destino e non per qualcosa di fisico che uno ha e all'altro manca," fece Lafemmina e incrociando le braccia in petto si sfiorò il capezzolo sinistro, che il gemello geloso le mordeva ogni volta che la sentiva pensare a Luis Veloce.

Il Grande Scomunicato rimase immobile a guardare i nipoti che non distingueva l'uno dall'altro. Era ormai un po' di tempo che si sentiva vecchio. Ma non per un tremito delle gambe o per una cataratta dell'occhio o per un insistente mal di schiena. Era una sensazione più simile alla commozione. E non essendosi mai commosso in vita sua non solo lo interpretò come un segno di vecchiaia ma ebbe paura d'essere prossimo a morire. Si sentiva come svuotato.

"Quanto ci metteranno a diventare grandi?" chiese impaziente a Lafemmina, fantasticando sul futuro dei suoi eredi.

"Un po' di tempo," rispose laconicamente la figlia.

Il Grande Scomunicato – che si avvicinava ai duecento anni – si sfilò l'anello papale, forzandolo oltre la nocca deformata dall'età. Se lo rigirò in mano e poi l'allungò a Lafemmina, al di là della culla. "Questo anello ha un enorme valore. Vorrei che lo portassi tu, d'ora in avanti, come segno della mia gratitudine per avermi garantito una discendenza. E mi piacerebbe che diventasse una regola trasmetterlo alle femmine della nostra famiglia," disse con un sorriso angelico sul volto rugoso. Se Lafemmina avesse accettato e si fosse impegnata a tramandarlo alla sola discendenza femminile, pensava il Grande Scomunicato, i maschi si sarebbero affrancati dalla maledizione legata al gioiello.

Ma mentre glielo passava, trattenendo il fiato, il Grande Scomunicato ebbe un'incertezza, come se non riuscisse a staccarsi dal suo cancro. Il gesto gli si ruppe a mezz'aria. Fissava la mano tesa di Lafemmina, quella mano con solo quattro dita, e pensava: 'Forse hanno ragione. È proprio l'anulare che le manca.' Fatto sta che l'anello gli sfuggì di mano, atterrò sulla fronte di uno dei gemelli e poi rimbalzò su quella dell'altro. I due neonati si svegliarono, sbarrarono gli occhi e, prima che il Grande Scomunicato o Lafemmina potessero intervenire, scomparvero sotto le coperte, agitandosi convulsamente. Quando ricomparvero avevano un dito ciascuno infilato nell'anello. Sorridevano trionfalmente, scoprendo le gengive rade di denti, guardandosi negli occhi torvi che avevano ereditato dal nonno, senza contendersi il gioiello.

"No!" gridò il Grande Scomunicato e glielo strappò di mano.

Immediatamente i gemelli cominciarono a piangere e a disperarsi finché la madre restituì loro l'anello. Allora i bambini tornarono felici e si misero a giocare e a sbavare sulle pietre preziose in perfetto accordo.

In quel momento il Grande Scomunicato li sentì per la prima volta davvero suoi discendenti. L'attaccamento all'anello ne era la più evidente delle prove. Ma la maledizione che aveva trasmesso loro provocò in lui un cambiamento repentino. Era come se il peso della condanna papale l'avesse abbandonato. Si sentì svuotato e nudo. E senza più sogni, avrebbe detto. Come se fino a quel giorno il suo destino e la maledizione fossero stati incatenati insieme. Ora si ritrovava improvvisamente libero, senza che nemmeno il destino si occupasse più di lui. Quello che in futuro gli sarebbe successo probabilmente non sarebbe stato il suo destino, rifletté, ma il prodotto del destino di qualcun altro. Come se il suo destino si fosse stancato di lui, l'avesse mandato in pensione e affilasse i denti sui due paffuti gemelli, le nuove prede.

"Mi sento leggero," disse piano, dopo che Lafemmina l'ebbe lasciato solo.

Guardò i nipoti, addormentati placidamente con le dita infilate nel gioiello. Si sedette accanto alla culla, rimandando i tanti affari di Stato che l'attendevano, e lo sguardo gli si perse nel passato. Pensò alla sua vita nei conventi, da ragazzo, a quella dei sermoni, da giovane, e alla donna alla quale aveva prosciugato il cuore, al cardinale, al Santo Padre che l'aveva preso a calci nel didietro. Cercò di ricordare le antiche sofferenze dei dieci anni spesi a peregrinare nel mondo prima di trovare le dodici capanne di paglia e fango. Sospirò ritornando con la mente alle frasi idiote dei ventiquattro primitivi Mentecatti, alla loro serenità, alle loro feste, ai loro straordinari cavalli mitologici a sei zampe di cui due invisibili. E poi vide i suoi primi e soli amici camminare ingobbiti, senza meta, tra i cantieri del nuovo paese in crescita. Poté, solo adesso, a così tanti anni di distanza, percepire il suono straziante del loro silenzio, della loro discreta estinzione, che non aveva turbato nessuno e che nessuno aveva documentato.

Si alzò e si affacciò alla finestra della stanza, buttando lo sguardo verso la collina verde che dominava il paese. Il mausoleo che aveva fatto costruire per sé – e che già ospitava ben sei figli, di cui cinque assassinati – si staccava imperiosamente dalla cima. Le lapidi dei ventiquattro Mentecatti, invece, non si distinguevano. Ma anche se non le vedeva, riusciva a immaginarle, raggruppate in circolo, a due a due, marito e moglie nella stessa fossa. In mezzo al cerchio avrebbe fatto costruire un piccolo pozzo, si ripromise. Come per ridare dignità, almeno nella morte, a quel che aveva oltraggiato in vita. Chissà se i ventiquattro Mentecatti in quel momento stavano facendo diventare matto il Padreterno con la loro logica strampalata, pensò sorridendo il Grande Scomunicato. Chissà se finalmente s'erano accorti di tutte le fregature che gli aveva tirato, chissà se avevano scoperto che non esisteva nessuna anima. Adesso che non c'erano più sentiva la mancanza della loro purezza. Non l'aveva mai compresa, non l'aveva mai ammirata, aveva fatto di tutto per sporcarla e corromperla ma ora ne sentiva la mancanza. Inaspettatamente una lacrima gli scivolò fuori da un occhio e se ne andò giù per una delle tante rughe che il tempo gli aveva scritto in faccia. La purezza dei Mentecatti era un sogno uguale e contrario al suo. Insieme i due sogni avevano prodotto una parvenza di vita, s'erano completati e giustificati.

"È proprio vero che un uomo, per realizzare i propri sogni, finisce col vanificarli," disse.

Dalla loro culla i gemelli, svegliandosi, sghignazzarono.

"C'è poco da ridere," disse loro il Grande Scomunicato.

Poi tornò a guardare dalla finestra. Anche il paese mostrava i segni del tempo, come se invecchiasse in sincronia con lui. Il popolo di Reietti e Deficienti non aveva sogni, non possedeva cavalli mitologici, non faceva domande più cretine del normale e, se glielo avesse permesso, avrebbero portato i greggi di capre a pascolare su per la collina, a brucare e distruggere quell'erba che aveva prosperato dal tempo dei tempi.

"Eh, sì," sospirò, "sono diventato un vecchio."

Allora, per non morire – perché sapeva che la conseguenza di quei pensieri era accettare la fondamentale inutilità della vita – si fece portare il suo tavolo da lavoro nella stanza dei nipoti e buttò giù un piano dettagliato della loro educazione. Per prima cosa doveva procurarsi dei testi sui quali farli studiare. Ma non poteva fidarsi del contenuto dei libri che circolavano in paese a quell'epoca. Così, incurante del trambusto e del viavai continuo di balie, cameriere, bagnetti e poppate, rimase chino su quel tavolo per ben tre anni, al termine dei quali aveva scritto personalmente tutto ciò che i nipoti dovevano imparare. Trascrisse a memoria Tacito, Tucidide e Svetonio e molti discorsi degli statisti dell'antichità, le fonti più autorevoli dell'arte oratoria, non tanto perché i nipoti imparassero a far sermoni quanto perché potessero comprendere appieno le straordinarie potenzialità della parola; riesumò studi teologici e di diritto nonché trattati di guerra e matematica; ricordò fin nei dettagli le opere degli eretici messi al bando nella Città Santa e la scienza castrata dall'Inquisizione; riassunse l'intera storia del mondo, includendovi orgogliosamente quella del paese; tracciò mappe di regni sconosciuti e ne appuntò le relative possibilità di sfruttamento commerciale.

Quando ebbe prosciugato l'inchiostro, era nata la prima biblioteca del paese.

Affidò a degli artigiani il compito di ordinare le pagine, di rilegarle, di dar loro una robusta spina dorsale, un adeguato vestito – in pelle di vitello o d'asino, tesa, lucida, incisa a caratteri d'oro – e di catalogarli. Erano milleduecentotredici libri.

Lafemmina, intanto, vestiva sempre di nero e nascondeva il suo volto dietro una veletta, quando camminava per strada. E aveva saputo che Luis Veloce aveva un'amante.

In quei tre anni, appoggiandosi allo straordinario apparato burocratico che era stato messo su, il paese nemmeno s'accorse di questa sparizione del Grande Scomunicato. Per inerzia i legislatori continuarono a promulgare nuove e sempre ingiuste leggi. Gli esattori fecero lo stesso con le tasse. La popolazione lavorò, pagò e continuò a lamentarsi.

Ma il Grande Scomunicato non fu più lo stesso. Quella forzata reclusione lo aveva addolcito, se così si può dire. Aveva perso interesse per la pura estorsione su cui aveva edificato il suo sogno, né aveva più voglia di abusare del potere come forma di rivalsa sul destino affibbiatogli dal Santo Padre. Era in un mondo di mezzo, sospeso tra la demenza senile e la filosofia. E ora che aveva trasformato in inchiostro tutta la sua scienza, non la ricordava più. Come se la sua memoria avesse altro su cui speculare, altro materiale da riportare in vita.

Se ne stava seduto per ore a guardare i suoi due eredi che crescevano, che ruzzavano nel cortile polveroso del palazzo, tirando con la fionda su tutti i culi delle serve, imbrattandosi di fango e di sterco. Li osservava mentre versavano di nascosto degli acidi corrosivi nei mastelli delle lavandaie, solo per ridere a crepapelle quando quelle tiravano fuori le mani rosicchiate fino all'osso. E pensava che vita spensierata era la loro, senza il freddo e l'umido che aveva patito lui nei conventi, senza preghiere, senza il saio ruvido che gli aveva screpolato la pelle delicata, senza che sulle loro spalle gravasse la condanna dell'esilio, senza un futuro di fame e stenti.

E più pensava a queste loro fortune, più si ritrovava a rimpiangere – come sua figlia, per altri versi – il tempo della disgrazia, gustando solo adesso il coriaceo sapore della vita di cui aveva goduto.

"Mi avevano condannato alla libertà e io mi sono costruito una galera," borbottava.

Giorno dopo giorno si astrasse dalla vita pubblica e lasciò che il paese continuasse per proprio conto. Non era affar suo. Un giorno i gemelli avrebbero messo un nuovo morso, delle nuove briglie e una nuova sella ai paesani e li avrebbero cavalcati e sfiancati com'era nel loro diritto ereditario. Il paese non era più suo.

"Fatene quello che volete," diceva ai due nipoti, senza che quelli capissero. "Non m'importa niente."

VIVA LA RIVOLUZIONE

Quando Luis Veloce giura di uccidere il Grande Scomunicato e una puttana lo istruisce per diventare un capo.

Sin dai tempi in cui il Grande Scomunicato lo aveva marchiato, incidendogli simbolicamente il collo con la roncola, dopo che aveva cercato di scalare la torre in cima alla quale era rinchiusa Lafemmina, Luis Veloce era stato tenuto d'occhio con grande attenzione da alcuni sovversivi che aspettavano nell'ombra il momento propizio per rovesciare la dittatura. La ragione che animava i sovversivi era la necessità di trovare un simbolo, un eroe. E Luis Veloce, che all'età di quindici anni s'era già ribellato al padrone del paese, era un ottimo candidato. Così, da allora fino al momento in cui aveva cacciato da casa sua Lafemmina, ne avevano seguito le mosse.

Per conoscere ogni dettaglio di quell'ultimo giorno, i sovversivi gli avevano messo accanto la loro migliore spia, anche se Luis Veloce era convinto d'averla contattata autonomamente.

E così, quando la prostituta assoldata per scoraggiare Lafemmina bussò alla porta di casa sua, l'indomani, Luis Veloce si meravigliò nel vederla.

"Un mio amico ti vorrebbe parlare," disse la prostituta e fece un fischio lungo, seguito da due brevi.

Allora, da dietro l'angolo in fondo alla via, apparvero tre uomini. Due erano grandi e grossi e si muovevano circospetti, guardando a destra e a sinistra mentre si avvicinavano. L'altro – magro e piccolo, oltre la sessantina, con addosso i vestiti volgari e sgargianti dei ruffiani – avanzava appoggiandosi a un bastone e trascinando appena una gamba. Non staccò gli occhi da Luis Veloce, nemmeno per un istante.

"Grazie, Rubezia," disse alla prostituta entrando in casa e rivolgendo un sorriso a Luis Veloce. Si sedette senza essere invitato a farlo, mentre i due gorilla si mettevano di guardia davanti alla porta. Il vecchio batté la mano sulla sedia accanto alla sua e Rubezia gli andò vicino, senza ancheggiare, senza mostrare il seno, senza ammiccare. Poi il vecchio indicò un'altra sedia a Luis Veloce e gli chiese di sedersi, con una voce sottile e gentile ma piena di autorità. "Il Grande Scomunicato non ti sta molto simpatico, vero?" gli chiese.

Luis Veloce, che per colpa del dittatore aveva appena dovuto rinunciare a Lafemmina, scattò in piedi, con le vene del collo turgide e gonfie, le narici dilatate come un drago pronto a soffiare fiamme, le mascelle serrate che facevano scricchiolare i denti, le sopracciglia così corrugate che si faceva fatica a scorgere gli occhi, ridotti a due fessure rosse. "Lo odio!" ringhiò. "E un giorno lo ammazzerò!" aggiunse senza la minima prudenza.

Il vecchio sorrise soddisfatto e mise una mano sulla gamba della prostituta. "Avevi ragione, Rubezia," le disse. "È quasi pronto."

"Quasi pronto per cosa?" domandò Luis Veloce, infastidito da quell'invasione che non aveva avuto la prontezza di bloccare.

"Non vuoi sapere prima chi siamo?" chiese Rubezia.

"Una puttana e un vecchio ruffiano, questo lo vedo da me," rispose Luis Veloce, aggressivamente.

"Senza saperlo ci fai un complimento," sorrise il vecchio con un'aria angelica. "Vuol dire che la nostra copertura funziona."

"Che copertura?"

"Mi chiamo Agustin della Battaglia," si presentò il vecchio. "Sono a capo del movimento rivoluzionario del paese. E Rubezia è il mio luogotenente." Poi, senza tanti giri di parole, aggiunse: "Ma siamo pronti a fare di te il nostro capo e il nostro simbolo, se accetti."

Luis Veloce aprì la bocca per rispondere. Ma la sorpresa lo aveva prosciugato di parole.

"Anche noi vogliamo il Grande Scomunicato morto," disse Rubezia.

"Perché io?" chiese Luis Veloce, riavendosi dallo stupore.

"Perché tu sei un simbolo per il popolo e potresti diventare un eroe," rispose il vecchio Agustin.

"Nessuno odia come te il Grande Scomunicato e ha il tuo stesso coraggio," continuò Rubezia.

"Costruitemi una bomba e gliela metterò sotto il culo con le mie mani," disse Luis Veloce.

"È presto per le bombe," disse Agustin serio. "Siamo ancora troppo pochi."

"D'accordo, ditemi cosa devo fare e lo farò."

Agustin rise. "Se accetterai di diventare il nostro capo dovrai dirci tu cosa fare."

"Io non so nulla di rivoluzioni," rispose Luis Veloce.

"A questo si può rimediare facilmente," disse Agustin. Si alzò, appoggiandosi al bastone, e si diede una pacca sulla gamba che trascinava. "Il Grande Scomunicato, tanti anni fa, mi ha tagliato i tendini del ginocchio e della caviglia, per azzopparmi," disse. "All'epoca ero un corridore molto veloce. E lui voleva essere certo che vincesse il mio avversario, sul quale aveva scommesso."

Luis Veloce guardò il vecchio. "È per questo che sei diventato un rivoluzionario?"

"Sì, l'odio è stato il motore iniziale," rispose Agustin. "Ma poi cominciai a guardare anche gli altri, che invece prima non mi interessavano. E capii che il Grande Scomunicato aveva tagliato a tutti qualcosa che valeva ben più dei miei tendini."

"I coglioni," disse Luis Veloce.

Rubezia rise.

"Sì, in un certo senso hai ragione," e anche il vecchio Agustin rise. "Io intendevo dire che il Grande Scomunicato ci ha levato la libertà. Ma è vero che senza libertà un uomo non è più un uomo, proprio come qualcuno a cui siano stati tagliati i coglioni." Il vecchio travestito da ruffiano si avviò verso la porta. "Rubezia ti educherà alla rivoluzione e al potere," disse accomiatandosi. "Io e te ci vedremo quando sarai pronto. Allora ti cederò il comando."

"Se penserò che Lafemmina rischia di essere uccisa o ferita, anche solo un graffio…" disse Luis Veloce, "annullerò qualsiasi attentato e voi mi ubbidirete."

"Valuteremo insieme…"

"No. Questa condizione non è trattabile," disse Luis Veloce.

"E allora così sarà," disse Agustin. Gli indicò Rubezia. "Per evitare sospetti, tu e lei fingerete di essere amanti." Poi se ne andò, trascinando la gamba mutilata nella polvere della strada, scortato dalle guardie del corpo che sembravano dei semplici delinquenti.

"Non verrò a letto con te, sia chiaro," disse Luis Veloce a Rubezia appena furono rimasti soli.

La prostituta lo guardò con aria fiera. "Meno male," gli disse.

L'indomani Luis Veloce, come d'accordo, bussò alla porta della Vascongada, il bordello che Rubezia dirigeva.

La prostituta aprì, avvolta in una lunga vestaglia trasparente, in organza arancione, che svelava le sue forme sensuali. "Vieni," gli disse facendogli strada attraverso le stanze della Vascongada.

Luis Veloce – che era solo un ragazzo di nemmeno sedici anni, all'epoca – non riusciva a staccare gli occhi da quel corpo flessuoso, seguendola in silenzio. Rubezia aveva una carnagione scura come il miele grezzo, con lunghi capelli color del mogano che le scorrevano sul corpo come terrosi rigagnoli, rivelando alture e depressioni morbide a lungo arate dall'amore. La prostituta, di quando in quando, si voltava e lo guardava con due occhi giallo zafferano, stretti d'assedio da folte ciglia nere.

"Dove andiamo?" chiese Luis Veloce.

"Seguimi," fece semplicemente lei, come se nel sangue avesse melassa che scorreva lenta. Come se sapesse tutto. Come se quel corpo morbido e bruno fosse capace di accogliere dentro di sé non solo tutti gli uomini che l'avessero voluta ma anche i loro peccati, i loro tradimenti e le loro deformità. Come se quella schiena di puttana, levigata e apparentemente fragile, fosse capace di sopportare pesi che non avevano misura. Come se i suoi occhi zafferano fossero pattumiere in grado di ospitare bruttezze che non avevano descrizione.

Mentre le andava dietro, Luis Veloce guardava le stanze del bordello. L'arredamento della Vascongada era esagerato come ci si poteva aspettare. Poltrone dalle strane inclinazioni che favorivano estrosi accoppiamenti, quadri con soggetti erotici che ammiccavano imprigionati in cornici dagli spigoli arrotondati in sproporzionati falli, statue oscene che mostravano pertugi foderati di raso. E poi costumi, biancheria e quant'altro. Una stanza riservata a bambini viziosi, piena di giocattoli erotici. Pinguini che sotto la livrea nascondevano membri intagliati in lucidi legni; giraffe di pezza che potevano esplorare sconosciute profondità; formichieri a molla che agitavano una lingua sottile; elefanti meccanici con proboscide vibrante; talpe capaci di scavare voragini di piacere. Luis Veloce passò da una stanza all'altra scoprendo perversioni che non aveva mai sospettato. L'odore stantio del sesso e degli unguenti afrodisiaci appestava ogni angolo del bordello.

Dopo un lungo corridoio buio, Rubezia aprì una porta screpolata ed entrò in una stanza radicalmente diversa dalle precedenti. Sul davanzale della finestra aperta, due vasi di lavanda e basilico, singolarmente puri e semplici, diffondevano i loro profumi creando un'efficace barriera contro la sozzura sessuale degli altri ambienti. Le pareti erano bianche, a calce, immacolate e spoglie, senza quadri o altri ornamenti. Il pavimento era austero, in terra fina battuta con cura e null'altro se non una stuoia di paglia. Al centro della stanza, un letto di ferro scuro le cui linee semplici disegnavano un rettangolo aureo dal quale s'innalzavano sottili bracci, anch'essi di ferro, come uno spartano baldacchino in cima al quale, senza vezzi né stranezze, erano annodate delle sottili garze per difendersi dalle zanzare.

"Oh, questa sì che assomiglia a una stanza," rise Luis Veloce, lasciandosi andare sul letto.

"È la mia camera," disse Rubezia. "Qui non ricevo clienti. E qui è dove ti insegnerò tutto quello che so per fare di te il nostro capo."

"E poi uccideremo il Grande Scomunicato," disse Luis Veloce.

"Sì..." disse Rubezia guardandolo e in un attimo comprese che quel ragazzo – destinato a diventare il capo della rivoluzione – era diverso da tutti gli altri uomini che aveva frequentato. 'Non farlo entrare nella mia vita, Protettore delle puttane,' pregò Rubezia, perché aveva capito, in cuor suo, che quel ragazzo era un pericolo e perché ogni donna intuisce le fregature del destino senza dover essere un'indovina di professione. Ma il senso del dovere e l'abnegazione alla causa rivoluzionaria le impedirono di scappare o di mandarlo via. Indossò una pesante vestaglia su quella trasparente d'organza, per nascondere le forme del suo corpo sensuale. Sedette in terra, il più lontano possibile da lui, senza mai guardarlo negli occhi. Poi cominciò a parlargli dei temi più cari a ogni rivoluzionario, abusando di parole come libertà e giustizia, la cui definizione, in sostanza, coincideva semplicisticamente con l'esatto contrario della vita che il Grande Scomunicato aveva organizzato per i paesani.

E così andarono avanti per più di due anni.

Il giorno in cui Luis Veloce compì diciotto anni trovò Agustin della Battaglia nella camera di Rubezia ad attenderlo.

"Sei pronto," gli disse il vecchio.

"Sì," rispose Luis Veloce, sicuro di sé.

Agustin lo invitò ad affacciarsi alla finestra. Scostò i fiori di lavanda e le larghe foglie di basilico e gli indicò i paesani. "Ora sta a te salvarli," gli disse. Lo abbracciò, gli versò da bere e brindarono alla rivoluzione, finendo due intere bottiglie.

"Tanti auguri," disse Rubezia a Luis Veloce appena furono soli. Lasciò cadere in terra la pesante vestaglia con la quale nascondeva le sue sensuali forme e gli si sdraiò accanto, attirandolo a sé.

Luis Veloce, reso leggero dal vino, lasciò che la prostituta lo spogliasse e si abbandonò al sesso, per la prima volta in vita sua. E non un solo istante smise di immaginare che fosse Lafemmina a rotolarsi con lui tra le lenzuola.

"Non verrò mai più a letto con te, sia chiaro," le disse Luis Veloce quando l'effetto del vino fu svanito.

Ma poi, l'anno successivo, il giorno del suo compleanno, lasciò che Rubezia gli versasse altro vino e ci finì nuovamente a letto. E ancora, per tutto il tempo, immaginò di fare l'amore con Lafemmina.

"Non verrò mai più a letto con te, sia chiaro," ripeté.

Ma poi, ogni volta, il giorno del suo compleanno, lasciava che Rubezia gli versasse il vino per festeggiare e si ritrovava nudo tra le lenzuola della donna con gli occhi zafferano.

Il giorno del suo venticinquesimo compleanno, però, dopo aver fatto l'amore non le disse come sempre che non sarebbe più andato a letto con lei e Rubezia si preoccupò.

Nove mesi più tardi la prostituta rivoluzionaria mise al mondo un maschietto, rugoso come un vecchio. Per non affezionarsi al bambino, si rifiutò di dargli un nome e lo affidò alla moglie di Agustin della Battaglia perché lo crescesse lontano dal bordello.

E fece in modo che Luis Veloce non ne sapesse nulla.

Ma Luis Veloce non tornò mai più a letto con lei.

IL TESTAMENTO

Quando il Grande Scomunicato regala il suo unico tesoro a Lafemmina e lascia che Luis Veloce faccia quello che deve.

L'educazione dei gemelli, ovvero la loro preparazione al comando, iniziò quando i due avevano poco più di cinque anni.

Per molte ore al giorno il Grande Scomunicato si rinchiudeva con i due nipoti e Lafemmina nella biblioteca del paese. Fosse perché era un vecchio intelligente, fosse per l'ammorbidimento senile, l'educazione dei gemelli non procedette secondo una ferrea disciplina e rigide regole. Anzi, per la maggior parte del tempo il Grande Scomunicato li lasciava giocare, commentando con loro determinati atteggiamenti e applicando teorie di potere alla pratica ludica. Quel che ne venne fuori fu una nuova ala della biblioteca piena di manuali pedagogici.

Fu chiaro sin dall'inizio che Lafemmina era dotata di un'intelligenza più pronta e ricettiva di quella dei gemelli, ma i due figli, in compenso, avevano un tale disprezzo per le norme morali e per i confini che esse tracciavano, un'innata cattiveria da lupi e un istinto alla truffa degni del nonno che permettevano loro di prevalere sulla madre nelle simulazioni che si svolgevano nella biblioteca. Pur di avere il sopravvento non c'era impegno che rispettassero, patto di sangue che onorassero o legge che non infrangessero. In quelle esercitazioni tutti, la madre come il nonno, incarnavano il nemico. Il mondo stesso era, per quel che si desumeva dal loro comportamento, un rivale da sterminare. Anche se il Grande Scomunicato, in questa fase della sua vita, apprezzava di più l'astrazione dell'intelligenza della figlia, nonostante tutto non poteva che rallegrarsi per la furbizia e la disonestà dei nipoti, qualità che avrebbero permesso loro di amministrare il paese secondo le vecchie e collaudate regole dell'ingiustizia.

"Siete due cancri," gli diceva allegro il Grande Scomunicato.

A mano a mano che i giochi si facevano più seri, la comunanza d'intenti dei gemelli si dimostrò straordinaria. Sembravano posseduti da un'unica malvagità, come se fossero le appendici di uno stesso organismo, frazionato in due solo per confondere il mondo. Il Grande Scomunicato e Lafemmina decisero allora di separare i ragazzi per osservarne i distinti comportamenti. Ma anche sottoposti al più totale isolamento, anche scongiurata ogni possibilità di comunicazione fra i due, i gemelli reagivano a ogni stimolo e problema con le stesse modalità, con gli stessi tempi e con la stessa spietata ferocia. Solo Lafemmina sapeva che uno di loro, però, aveva nella sua gelosia una grave deficienza.

"Quale dei gemelli reggerà il paese?" domandò un giorno il Grande Scomunicato alla figlia. "È possibile che lo facciano insieme in assoluta armonia?"

"Stai tranquillo. Il tuo sogno è nelle mani di due scellerati," disse Lafemmina ambiguamente.

Il Grande Scomunicato, come ormai troppo spesso andava succedendo, si commosse e capì che era prossimo al pianto. Per pudore scappò sulla collina. Non usava più l'altura per meditare losche imprese. Semplicemente ci si rintanava per sentirsi protetto. Si sedeva in mezzo alle ventiquattro lapidi dei Mentecatti e lì, senza ritegno, si scioglieva in lacrime.

"Ve lo ricordate quando pensaste che Polifemo era malato perché piangeva e nessuno di voi aveva mai pianto?" domandava alle lapidi bianche. E domanda dopo domanda ripercorreva tutta la sua vita con loro, ricostruendo gli episodi più idioti finché si metteva a ridere e gli tornava il buon umore. Allora diceva: "Grazie, Mentecatti," e se ne tornava in paese.

Intanto i due eredi ebbero tredici anni e il giorno del loro compleanno, davanti a due torte gemelle, annunciarono al Grande Scomunicato: "I tempi si fanno difficili, nonno. Formalmente il potere temporale e quello spirituale non hanno serie possibilità di sviluppo congiunto. Perciò, se sei d'accordo, avremmo pensato di spartirceli, quando verrà il nostro turno. Uno solo di noi governerà sui corpi e uno solo di noi farà altrettanto sulle anime. Apparentemente."

"Apparentemente?" chiese il vecchio.

"Certo, nonno. Se non ci riconosci tu, pensi che questo popolo gretto e ignorante che ci lasci in eredità potrà mai farlo?"

"No, in fede mia. No di sicuro."

"Il paese sembrerà diviso a metà ma nessuno potrà mai sapere, in virtù dell'identicità di queste due parti, chi gli starà rodendo il fegato, se io o lui. Ci scambieremo i ruoli, le mogli, i sudditi, i palazzi e intanto lavoreremo per un unico scopo. I due regni saranno fumo negli occhi. In realtà di arrosto ce ne sarà uno solo."

"Mi sembra un'idea veramente malvagia," commentò il Grande Scomunicato.

"Grazie, nonno," dissero lusingati i gemelli.

Il mese dopo i due eredi comunicarono al nonno e alla madre che da quel momento in poi non avevano più bisogno di loro. Si rintanarono in biblioteca, smisero dal giorno alla notte di giocare, affilarono i coltelli e per due anni non si fecero vedere in giro. Quando ne uscirono il loro aspetto fisico era radicalmente mutato. Sembravano due uomini fatti. I boccoli che avevano ereditato da Lafemmina s'erano fatti più neri del nero. Gli occhi torvi presi dal Grande Scomunicato erano ancora più crudeli e sottolineati da due scure occhiaie gonfie di fiele. Avevano pianificato il futuro, le regole che avrebbero dovuto segnare gli apparenti confini tra i due regni, le possibilità di interscambio e quelle di truffa. Per metterle in pratica mancava solo l'ultimo atto del Grande Scomunicato.

Ma il nonno era più che rimbambito, a quel punto. Vedendo i loro pesanti scarponi militari, il giorno che i nipoti lo raggiunsero sulla collina dove passava la maggior parte del suo tempo, li ammonì: "Levatevi le scarpe, mascalzoni. Non avete il minimo rispetto per quest'erba che cresce dal tempo dei tempi?" Stava nel mezzo del cerchio delle ventiquattro lapidi, una gamba a terra e l'altra arricciata sulla coscia, come sempre, senza lamentarsi della scomoda posizione. Ai piedi aveva le consunte pantofole che più di cent'anni prima gli aveva fabbricato Mastro Tagliabue.

I nipoti non si preoccuparono per i fili d'erba che spiaccicavano con gli scarponi. Avevano altro in mente. "Devi abdicare," dissero al nonno. "È arrivato il nostro momento."

"Se non fossi sicuro di andare a fare casino anche nell'aldilà vi chiederei di seppellirmi in mezzo ai Mentecatti," disse il Grande Scomunicato, lo sguardo vacuo, mentre mangiava una zuppa di farro e fagioli, l'unica pietanza che da molto tempo non gli risultasse indigesta e che Lafemmina gli cucinava amorevolmente.

"Hai capito che devi abdicare?" ripeterono i gemelli.

"Sapete dirmi di che colore è luglio?" chiese il nonno senza avere risposta da nessuno dei due. "Dorato, il dorato luglio. Ma non ve l'ho insegnato?"

I nipoti erano insofferenti. Presero a calci una lapide. La lastra di pietra si rovesciò e mostrò i lombrichi grassi che arieggiavano il terreno, permettendo alla mitologica erba di crescere.

"E l'autunno, di che colore è?" chiese ancora l'allucinato vecchio.

"Verde delle olive battute sui rami contorti," si udì rispondere da lontano. Era Lafemmina, che usciva dal mausoleo.

"Bambina mia, mio orgoglio, mia luce," si commosse il Grande Scomunicato, "hai usato le stesse parole di mio padre…"

"Che famiglia divertente," dissero i gemelli, ridendo.

"E i canti dei contadini?" proseguì il vecchio, ignorandoli.

"Il rosso acceso dei falò serali."

"E l'aratura?"

"Grigio bagliore metallico."

"E le zolle?"

"Marrone profumato di muschio."

"E il canto boreale del gallo?"

"Arancione."

"E le uova?"

"Un pallido candore screziato di sangue."

"E lo sterco di vacche e cavalli?"

"Un aromatico color paglia."

"Ecco quello che dovete tenere a mente!" esclamò il Grande Scomunicato rivolto ai nipoti. "È tutto qui quello che dovevo insegnarvi. È questa la vostra eredità."

I gemelli erano nauseati da tanto patetismo.

"Non puoi lasciarlo a me questo tesoro?" chiese Lafemmina, con l'infinita dolcezza delle donne.

"Quale?" le rispose lo svampito padre.

"Il tesoro dei colori del mondo," disse Lafemmina e abbracciò il padre.

Il Grande Scomunicato le sorrise distante, perso nei labirinti della senilità. Rimasero abbracciati come non lo erano mai stati. Lui sempre su una gamba sola, in quella posa da fenicottero, lei salda colonna che lo teneva ancora un po' in vita.

"Hai capito che devi abdicare?" ripeterono i gemelli, spazientiti.

"Sì, ha capito," disse Lafemmina.

"Tu non conti nulla. Stai zitta," fece uno dei due.

"Sì, sta' zitta. Non sei tu a dover decidere," disse l'altro.

Lafemmina li fronteggiò, pronta a difendere il debole padre.

I gemelli però si fecero molto aggressivi. La spintonarono, facendola cadere.

"Non abdicherò," intervenne il Grande Scomunicato, con una voce inaspettatamente salda e autoritaria. Fece un passo verso i nipoti. Il suo sguardo era vigile e lucido.

I gemelli, in un attimo, persero tutta la loro baldanza.

Il Grande Scomunicato gli andò ancora più vicino. Poi appoggiò le mani sulle spalle dei nipoti. Sorrise. Ma sembrava più che mostrasse loro i denti. "Ho sei figli morti, là dentro. Tra i quali vostro padre." Con la testa indicò il mausoleo. "E non sono morti per cause naturali." Con uno scatto mise le mani sulla nuca dei nipoti e li attirò a sé. "Voi farete sempre quello che vi ordino, come dei bravi cagnolini," disse piano. Aveva smesso di sorridere. Li teneva a pochi centimetri dal proprio naso, con una presa salda. E li guardava con gli occhi socchiusi. Ora nulla faceva pensare a un vecchio svampito. Li strinse più forte, facendo cozzare le loro teste contro la propria. "Vi voglio bene, ragazzi," sussurrò. "Vi voglio tanto bene." Mollò la presa. Sorrise nuovamente in quello strano modo da carnivoro. Diede loro un buffetto sulla guancia. "E adesso aiutate vostra madre, cagnolini."

I nipoti tirarono su Lafemmina, ubbidienti e stupiti.

Anche Lafemmina era sorpresa.

Il vecchio dittatore, intanto, era tornato al centro delle lapidi e aveva ripreso la sua posizione da fenicottero. "Da oggi sarete i miei primi ministri," disse con voce grave ai gemelli. "Potrete comunque fare il vostro comodo: io mi trasferisco a vivere quassù. Ma sarete i padroni assoluti solo quando sarò morto." Rise. "Se morirò."

Lafemmina e i gemelli lo guardavano in silenzio. E ognuno di loro si domandava: 'Ma allora fingevi di essere rimbambito?' La figlia era allegra per questo pensiero. I nipoti, invece, avevano scoperto che di qualcuno, in quel paese di pecore, dovevano ancora avere paura. Guardarono verso la stanza del mausoleo nella quale erano ammassate le bare dei figli del Grande Scomunicato e sentirono un brivido sgradevole correre lungo la schiena, come una goccia gelata di sudore. Stavano per andarsene, umiliati dalla forza e dal carisma del nonno, quando videro un uomo salire la collina.

Lafemmina, sempre in gramaglie, sempre con la veletta, ebbe un tuffo al cuore vedendolo dopo tutti quegli anni.

L'uomo era Luis Veloce e si stava avvicinando a passi decisi. Ma non la guardava. Puntava dritto verso il Grande Scomunicato.

Nessuno disse una sola parola.

Luis Veloce reggeva qualcosa in mano e quando fu di fronte al Grande Scomunicato glielo porse, senza parlare.

Lafemmina vide che era un biglietto piegato in quattro. Il Grande Scomunicato lo aprì. Lesse un lato. Sorrise ricordando. E poi lesse l'altro lato. E allora rise di gusto.

"Non ho paura di te," gli disse Luis Veloce.

Il vecchio dittatore lasciò cadere in terra il biglietto.

Luis Veloce si voltò verso Lafemmina e le disse: "Mi dispiace." Null'altro. Poi ridiscese la collina.

Uno dei gemelli gli tirò una pietra, senza colpirlo. Lafemmina sapeva che era quello che l'aveva morsa al capezzolo, ancora neonato. Luis Veloce non si voltò e tirò dritto.

Lafemmina si avvicinò al padre e raccolse il biglietto, che aveva un'aria consunta. Su un lato l'inchiostro era vecchio e stinto, ingrigito, ma ancora si leggeva la frase. Lafemmina riconobbe la scrittura del Grande Scomunicato: 'Mia figlia busserà alla tua porta, al tramonto. Dalla mia finestra guardo tuo padre seduto al suo banchetto. È un piacere vederlo così, tutto intero, con la testa saldamente attaccata al resto del corpo.' Allora Lafemmina girò il biglietto, per leggere l'altro lato. Questa scritta, invece, era recente. L'inchiostro era nero e lucido.

'Mio padre Vandalo è morto oggi. Non puoi più fargli del male. Io ora mi prenderò Lafemmina e tu, se ci riesci, tagliami la testa, bastardo.'

LA PELLE PIÙ BIANCA DEL REAME

Quando il Grande Scomunicato non s'interessa della vita sessuale di Lafemmina ma uno dei gemelli sì.

Quella sera stessa Lafemmina bussò alla porta di Luis Veloce.

Sentiva ancora sulle labbra la sensazione di quindici anni prima, quando Luis Veloce l'aveva baciata. Il suo primo e unico bacio.

"Eccomi," gli disse, con il cuore in gola.

Luis Veloce la prese per la vita e l'attirò a sé. "Mi dispiace," le disse, vicini come erano stati solo sul tetto del palazzo, durante la festa per la nascita dei gemelli. "Mi dispiace," disse ancora.

"Eccomi," ripeté Lafemmina. Poi si alzò la veletta e abbandonò le proprie labbra a quelle di lui. E tutta se stessa al suo abbraccio.

In un attimo furono in casa. E l'attimo dopo erano nudi.

Luis Veloce fece un passo indietro, abbagliato dal luminoso biancore d'alabastro della pelle di Lafemmina sotto il vestito nero.

"Dopo di te non ho permesso neanche all'aria di toccarmi," disse Lafemmina offrendoglisi.

Luis Veloce le si avvicinò, con lentezza. Lafemmina rimase immobile, aspettandolo. Poi i due corpi si intrecciarono in un amplesso senza sfarzi.

Lafemmina era incantata dai suoni che producevano, dai loro respiri in accordo, come stessero intonando una fuga o un canone, rincorrendosi e acchiappandosi e lasciandosi di nuovo per impennarsi dolcemente. E a mano a mano che gli ansiti collaboravano a un'identica melodia, in un crescendo d'intensità, e i corpi stessi si confondevano, rinunciando alla loro unicità e trasformandosi in un solo, affascinante, fantastico animale mitologico, Lafemmina cominciò a essere squassata da un intenso piacere e da una commozione profonda. Quella sensazione estatica le si insinuò nella coscienza, mondò il suo passato, azzittì in una volta sola la sconcezza di tutte le violenze subite, ovattando il dolore e lo schifo e candeggiando in quel religioso bianco la striscia di sangue che si era lasciata dietro nel momento stesso in cui era diventata donna.

E quando infine i due corpi s'irrigidirono, come se una divinità li avesse pietrificati, e poi fremettero, come colpiti da un fulmine, Lafemmina – prima di crollare sul materasso, svuotata e moribonda – si sentì libera dal peccato e dalla sofferenza.

E seppe di non appartenere più a suo padre e al suo sogno.

In quel momento la serva che aveva sempre spiato Lafemmina per conto del Grande Scomunicato – cosa che continuava a fare per un automatismo da animale da soma, solo perché nessuno le aveva detto di non farlo più – si allontanò dalla finestra dalla quale aveva seguito tutta la scena. Ma voltandosi urtò un palo piantato nel terreno. Il palo ondeggiò e rovesciò il piccolo orcio che sosteneva. L'orcio si schiantò a terra, in mille schegge e la sabbia si scurì dell'olio che conteneva. La serva corse via.

Luis Veloce s'alzò dal letto, andò alla finestra e vide solo l'orlo svolazzante di una gonna scomparire dietro l'angolo della casa. Ma ugualmente la riconobbe perché ogni volta aveva significato una disgrazia nella sua vita. Si voltò verso Lafemmina con uno sguardo preoccupato, come temendo di non trovarla più.

Lafemmina era addormentata. Aveva un respiro leggero, che le gonfiava piano il seno e svuotava l'addome liscio. Era di una tale bellezza che Luis Veloce dimenticò la preoccupazione e le si stese accanto, respirando l'aria respirata da lei.

La serva, intanto, era quasi giunta a palazzo. Ma la piazza era gremita di folla. Tutti quanti avevano il naso puntato al balcone del palazzo, sopra il quale campeggiava la scritta: *"Attendite a falsis prophetis, qui veniunt ad vos in vestimentis ovium: intrinsecus autem sunt lupi rapaces"*.

Sul balcone i gemelli parlavano ai paesani. "Il Grande Scomunicato ci ha lasciato l'ingrato compito di governare in vece sua, come primi ministri," stavano dicendo. "E le cose cambieranno. C'è bisogno di giustizia e di chiarezza."

La gente si agitò, scuotendo la testa, a disagio. "S'è mai visto un dittatore che offre giustizia e chiarezza?" disse un omone alla serva, che lo spintonava per passare. E da quel momento la serva, a mano a mano che si faceva largo tra la gente, diretta al portone istoriato del palazzo, ascoltò solo borbottii di malumore.

"Non siete contenti?" ringhiarono i due gemelli sporgendosi dal balcone e mostrando il pugno chiuso alla folla.

La serva poté sentire un fremito di ribellione, subito trattenuto. Poi l'istintiva paura del popolo ebbe il sopravvento. "Evviva, evviva!" urlarono, come recitando la battuta di una commedia.

I nuovi governanti ripresero: "E per fare giustizia e chiarezza va distinto innanzitutto il bene del corpo dal bene dell'anima. Basta con il monopolio instaurato dal Grande Scomunicato. Affinché il potere temporale e quello spirituale non debbano accettare compromessi di governo – ed essendo noi in due – abbiamo deciso di spartirceli. Lui si occuperà della ricchezza delle vostre anime e io della ricchezza dei vostri conti bancari. E li amministreremo al meglio delle nostre umane possibilità." Poi i due gemelli si abbracciarono e cominciarono un vorticoso girotondo. Quando si fermarono, uno dei due ribadì: "Lui amministrerà il paese e io il gregge. Ci riconoscerete perché io indosserò un vestito di porpora, come si conviene al mio stato, e non potrò fornicare né sposarmi," e ciò detto si infilò il manto ecclesiastico.

"Sai quanto ci mettete a scambiarvi un vestito…" borbottò la serva, ormai prossima al portone. "Giusto," disse una cicciona accanto a lei. E già tutti ripetevano: "Qui sotto c'è una bella fregatura." E il malumore si faceva più cupo.

La serva raggiunse il portone e le guardie la fecero entrare.

Intanto, nella stanza che un tempo era stata sua, il Grande Scomunicato stava scegliendo cosa portarsi al mausoleo, la sua nuova residenza. Non prestava ascolto al discorso dei gemelli, come sempre perso nei suoi pensieri. Ma, avendo l'orecchio allenato all'umore della folla, e sentendo una vibrazione stonata, come un fastidioso ronzio di sottofondo, spiò il popolo riunito in piazza da dietro le spalle dei nipoti. E vide degli sguardi che non gli piacquero.

"State attenti," disse ai gemelli.

I gemelli lo guardarono. Era solo un vecchio, il fantasma del dittatore di un tempo. I rari momenti di lucidità e di forza che ancora mostrava duravano il battito d'ali di una farfalla. Poi ritornava a essere un vecchio scimunito. "A cosa dovremmo stare attenti?" gli chiesero e intanto si misero a ridere, vedendolo carico di inutili cianfrusaglie, come un barbone.

Il Grande Scomunicato si grattò il cranio quasi pelato, in cerca del pensiero che nel frattempo aveva smarrito. "State attenti…" e s'inceppò. Poi quasi meravigliato di saper andare avanti, esclamò: "Al popolo! State attenti al popolo."

"Non dire sciocchezze," lo schernirono i gemelli. "Guarda," e si appoggiarono alla ringhiera del balcone, sporgendosi verso la gente. "Applaudite!" ordinarono.

La folla applaudì.

I gemelli risero, colmi di disprezzo per il popolo vigliacco. Poi si voltarono verso il nonno. "Adesso vattene," gli dissero.

"State attenti," disse ancora una volta il Grande Scomunicato.

I gemelli fecero finta di non averlo sentito. Si diedero di gomito e ordinarono alla folla: "Tutti su una gamba sola."

Il popolo si mise su una gamba sola.

"E adesso mani in alto," ordinarono ancora.

I paesani alzarono le mani.

"Questa è una rapina," scherzarono i gemelli. Poi rientrarono nel palazzo per pianificare le loro future estorsioni e per dare fondo alla loro perversione.

In quel momento la serva entrò nella stanza e fece la sua relazione su Lafemmina e Luis Veloce al Grande Scomunicato.

Il vecchio la guardava con occhi trasparenti. E sorrideva. Ma era evidente che non la ascoltava.

I gemelli, invece, avevano sentito. Uno dei due rise. L'altro – quello che aveva indosso il manto ecclesiastico –

si irrigidì, strinse le mascelle e digrignò i denti. Un'emozione violenta lo scuoteva. Era il gemello che aveva morso il capezzolo di Lafemmina, mentre veniva allattato, perché sua madre pensava a Luis Veloce. Ed era lo stesso che quella mattina gli aveva tirato una pietra. Provò a controllarsi. Ma la serva aveva ripreso a raccontare tutto daccapo, con la crudezza e la volgarità dell'ignoranza, per scuotere il Grande Scomunicato dal suo torpore. Allora il gemello perse la ragione. Si gettò sulla serva, l'afferrò per il collo e le sbatté la testa contro il muro fino a quando la parete si colorò di un rosso intenso e vischioso che colava pigramente verso terra. Si voltò verso il gemello. "Non potevamo lasciarla vivere. Avrebbe raccontato a tutti di nostra madre."

"Cosa vuoi che me ne freghi?" disse l'altro, alzando le spalle.

"Nostra madre è una puttana!" urlò l'assassino, con il viso macchiato del sangue della serva.

"E cosa vuoi che me ne freghi?"

Il gemello vestito da capo della Chiesa fu sul punto di saltare al collo del fratello. Ma riuscì a trattenersi. Eppure bastò quello. Fu sufficiente lo sguardo che si scambiarono, misurandosi per la prima volta come possibili avversari invece che complici perfetti, a dividerli irrimediabilmente.

Il Grande Scomunicato era rimasto a fissare il cadavere della serva, sorridendo imbambolato. Poi disse: "Arrivederci." E uscì.

"Dobbiamo impedire questa relazione," insisteva intanto il gemello geloso.

Il fratello non gli rispose.

"Dobbiamo proteggere l'integrità di nostra madre altrimenti la sua cattiva fama danneggerà anche noi," continuò accalorato.

"È una faccenda che non m'interessa, te l'ho detto."

L'assassino della serva strinse i pugni, fremendo. Poi prese l'anello maledetto dal portagioie.

Il fratello fece un passo verso di lui, per contendergli il gioiello, ma si fermò.

"Sei un debole," disse l'assassino, infilandosi l'anello al dito.

"Tienitelo stretto," gli rispose il fratello, con la voce dura e uno sguardo affilato. "E tieniti stretto anche il manto ecclesiastico e le cassette per le elemosine. Tieniti stretta la tua chiesa, prete. Perché non avrai altro. La nostra società si scioglie qui, ora."

"Metà delle guardie sono con me."

"Bene, così avremo due eserciti di pari forza. E questo ci eviterà una guerra."

"Addio."

"Addio."

Il gemello assassino, con il suo manto di ministro dello spirito e le mani appiccicose di sangue, si avviò verso la cattedrale che da quel momento sarebbe stata la sua fortezza. E mentre camminava, scortato dal suo esercito, non pensava alla vicenda politica, né alla separazione dal gemello, bensì a sua madre. Era ossessionato dalle immagini che il racconto della serva aveva evocato nella sua mente. Per distrarsi da questi pensieri scabrosi, si concentrò sul colpevole di tutto ciò. Luis Veloce divenne il bersaglio della sua rabbia. Il pensiero rancoroso gli si propagò nella mente come gramigna. Crebbe, s'irrobustì, s'ingrossò. In un baleno la pianta dell'ossessione raggiunse la piena maturità e fece sbocciare il fiore del male in tutta la sua virulenza.

Prima ancora di arrivare alla cattedrale aveva deciso. Si lanciò con le sue guardie sulla casa di Luis Veloce. Fecero irruzione nella camera da letto. Il gemello ordinò alle guardie di portare via Luis Veloce e poi, vedendo la madre nuda, che cercava di coprirsi con un lembo di lenzuolo, cominciò a colpirla, a pugni, schiaffi e calci. E probabilmente l'avrebbe uccisa se, dall'esterno, non fosse giunta la voce di Luis Veloce che urlava minacce.

Il gemello si precipitò fuori e comandò alle guardie di trascinare Luis Veloce per i capelli fino in chiesa.

Poi guardò l'amante di sua madre, con ferocia, e gli sputò in faccia. "E domani morirai," gli promise.

IL SACRIFICIO

Quando Luis Veloce viene mandato al patibolo all'insaputa del Grande Scomunicato.

Lafemmina, con il corpo e lo spirito che urlavano di dolore per i pugni e i calci ricevuti, con gli occhi gonfi e tumefatti che le velavano la vista, si trascinò per le strade buie del paese fino alla chiesa. Il portone era chiuso e il gemello aveva disposto un anello di armigeri tutt'intorno al tempio.

Lafemmina salì gli scalini del sagrato e disse al capitano delle guardie: "Fammi passare."

Ma quello scosse il capo. "Mi dispiace, non posso."

Allora Lafemmina raccolse un sasso da terra e glielo tirò.

Il capitano scosse di nuovo il capo e disse ancora: "Mi spiace." Ma quando vide Lafemmina che si chinava a raccogliere un altro sasso le diede un calcione che la fece rotolare giù per gli scalini. Appena Lafemmina atterrò nella sabbia polverosa, il capitano ripeté, ma con un'intonazione che sembrava più una minaccia: "Ho detto che mi dispiace."

"Luis Veloce!" urlò allora Lafemmina, con il poco fiato che le rimaneva. Ma dall'interno della chiesa non venne un solo suono in risposta.

Però da un vicolo laterale comparve un vecchio, vestito in modo sgargiante, che si avvicinò a Lafemmina, la prese per un braccio, con gentilezza, e le disse: "Vieni con me."

Il vecchio aveva uno sguardo onesto. Lafemmina, spossata, non ebbe la forza di chiedergli nulla e lo seguì, mansueta. Fatti pochi passi nel vicolo buio, si aprì una porticina. Una donna si affacciò e fece segno di sbrigarsi.

Lafemmina la riconobbe subito. Era la donna che aveva visto quindici anni prima in casa di Luis Veloce. Lafemmina ormai sapeva di essere stata cacciata perché Luis Veloce doveva proteggere Vandalo dalle minacce di morte del Grande Scomunicato. Ma ancora non aveva idea del rapporto che legava Luis Veloce a quella donna. In paese si diceva che fossero amanti. Entrando nell'abitazione la guardò meglio. Era molto bella e volgare. Una puttana. Però Lafemmina non provò né gelosia né antipatia.

La donna fece distendere Lafemmina su un lettino e cominciò a curarla, senza dire una parola. Si occupava delle ferite con perizia, come se fosse abituata a rattoppare esseri umani.

"Io adesso devo andare," disse il vecchio. "Rubezia si prenderà cura di te e ti proteggerà."

"Chi sei?" chiese Lafemmina.

"Un vecchio ruffiano. Non si vede?"

Lafemmina lo guardò, attraverso gli occhi gonfi. "Chi sei?" gli chiese di nuovo.

Allora il vecchio le andò vicino. "Mi chiamo Agustin della Battaglia e sono quello che ha fatto di Luis Veloce il capo della rivoluzione."

"Che rivoluzione?" chiese sorpresa Lafemmina.

"È tardi per stupirsi," disse Agustin. "Senti? Le campane chiamano a raccolta il popolo. Tuo figlio crede di farli assistere all'esecuzione di Luis Veloce. Ma non sarà così. Resta qui."

"No, io vengo," disse Lafemmina e si alzò a fatica dal lettino, spintonando via Rubezia.

"La rivoluzione non sarà un bello spettacolo per te. Né come madre né come figlia. Scorrerà sangue della tua gente."

"Non lascerò Luis Veloce da solo."

"Luis Veloce non sarà solo," disse enfaticamente Agustin. "Il popolo è con lui."

"Il popolo non conta," disse Lafemmina.

"Parli come un dittatore," replicò duro Agustin. "Parli come tuo padre."

"Questo popolo volterà le spalle a te, a lui e a chiunque altro. È stato allevato nella paura e riconosce solo quella. Ringhiando e insieme guaendo tornerà a leccare le mani di mio padre."

"Devo andare," tagliò corto Agustin.

"E io verrò con te," disse fiera Lafemmina. "Anche a costo di ammazzare questa puttana, se proverà a impedirmelo."

Il vecchio Agustin guardò Rubezia. "L'affido a te," le disse. Poi si voltò verso Lafemmina. "Andiamo," disse uscendo nel vicolo, appena rischiarato dalle prime luci dell'alba.

Nella piazza della cattedrale già parecchi paesani, assonnati e incuriositi, ciondolavano in attesa di capire perché erano stati convocati. Altri, invece, sembravano aspettare Agustin. Appena lo videro arrivare lo raggiunsero, confabularono pochi istanti e poi si sparpagliarono tra la folla, preparando l'insurrezione.

Lafemmina si appoggiava a Rubezia e avanzava verso il sagrato. Salì gli scalini e guardò con ferocia il capitano delle guardie che l'aveva presa a calci. "Apri," gli ordinò.

Il capitano sguainò la spada. "State indietro," ammonì.

Ma in quel momento, alle sue spalle, il portone cominciò ad aprirsi dall'interno. Un'anta venne faticosamente spinta da un giovane chierico, le cui profonde occhiaie scure lo facevano sembrare malato. L'altra anta fu aperta senza sforzo dal boia, incappucciato, con la scure in mano. Poi sia il chierico che il boia raggiunsero al centro dell'ingresso il gemello vestito con il manto ecclesiastico. Il capo della Chiesa alzò le mani, a chiedere attenzione e silenzio. All'anulare gli riluceva l'anello maledetto.

La folla si azzittì. Lafemmina fremeva e Rubezia la trattenne.

"Questa notte è successo un fatto grave," cominciò a dire il gemello prete. "E con gravità è stato giudicato." Poi si voltò e, seguito dal chierico, che gli reggeva lo strascico del manto, poi dal boia e infine dalle guardie, risalì la navata centrale della chiesa. Allora anche il popolo si infilò nel tempio, entrando guardingo, come un animale feroce attratto da una preda in fondo alla gabbia. E proprio come avrebbe fatto l'animale feroce, tutti, varcando la soglia, si guardavano intorno e in alto, come temendo un agguato o come se non avessero mai visto la chiesa.

E lo stesso fece Lafemmina, sempre sorretta da Rubezia. Mentre avanzava, spintonata dalla gente che voleva conquistare le prime file, notò che l'ampia cupola ogivale progettata dal Grande Scomunicato aveva perso le sue decorazioni dorate, che s'erano staccate durante gli anni come una preziosa forfora. Le panche tarlate si lamentavano a gran voce, soffocate dai culi della gente. I paurosi quadri che ritraevano martiri torturati in tutte le posizioni – come in un kamasutra della santità – erano ormai così sporchi e scuri da sembrare dei buchi nel muro. I tappeti s'erano assottigliati sempre più sotto i piedi dei chierici fino a diventare un sottile velo colorato che in breve s'era sfaldato, volatilizzandosi come la porporina che i bambini usavano per imitare le ali delle farfalle. L'aria non era più fresca di mirra, o mistica d'incenso ma corrotta dalle muffe, dal puzzo d'umido, dall'odore stantio di polvere. Le colonne che un tempo s'ergevano fieramente falliche, ricoperte di drappi fino alle volte, adesso erano nude, fredde al tatto e screpolate, come se non ne fosse rimasto che l'osso spolpato. I vetri colorati, a mano a mano che si erano rotti, erano stati sostituiti da pezzi di cartone o tavolacci di legno e le storie che avevano raccontato erano ormai mutilate e illeggibili.

Lafemmina si rese conto che tutto quanto era stato creato dal Grande Scomunicato invecchiava con lui. E per la prima volta ebbe la percezione che si trattasse solo di un sogno, strettamente legato al padrone del paese, che con lui si stava estinguendo.

Rubezia spintonò un paio di omoni davanti a lei. I due energumeni si voltarono ingrugniti, pronti alla rissa, ma Lafemmina notò che appena riconobbero la puttana si fecero da parte ossequiosamente.

"Chi sei veramente?" le chiese piano Lafemmina.

Rubezia non rispose.

Lafemmina la fissava, mentre avanzavano, e vide che la puttana, all'improvviso, spalancava gli occhi e si portava una mano alla bocca, come a zittire un urlo. Era un'espressione commovente, pensò Lafemmina. L'espressione di una donna che soffre per l'uomo di cui è innamorata. Voltò la testa di scatto, nella stessa direzione verso la quale stava guardando Rubezia. E allora anche lei spalancò gli occhi e si portò una mano alla bocca, tappandosela, perché stava per urlare disperata.

Luis Veloce era nudo come un messia, con un semplice straccio bianco arrotolato intorno ai fianchi. Era incatenato a una colonna, proprio davanti all'altare maggiore. Aveva lo sguardo fiero dell'eroe e sul corpo i segni rossi e ancora umidi del martirio.

I paesani si avvicinavano a gruppetti, intimiditi. Alcuni si segnavano la fronte, altri esibivano nella mano un amuleto, alcuni allungavano le dita fino alle piaghe, come fossero stimmate, altri ancora restavano inebetiti a fissare Luis Veloce, finché da dietro li spingevano via. Le donne piangevano. Gli uomini torturavano i cappelli con le loro manacce. E tutti, indistintamente, mormoravano: "È un'ingiustizia."

Lafemmina vide che Luis Veloce stava guardando Rubezia e le faceva un cenno affermativo con il capo. Si sentì morire di gelosia e un improvviso dolore le si conficcò come una lama rovente nel petto. Ma poi Luis Veloce volse lo sguardo nella sua direzione, scoprendola, e le sue labbra massacrate dal boia si allargarono in un sorriso radioso. Subito anche Lafemmina trovò la forza di spaccare le proprie labbra ferite e gli sorrise di rimando. Con la coda dell'occhio vide Rubezia abbassare la testa, lo sguardo a terra, vinta, e seppe cosa stava passando. E provò pena per quella puttana, innamorata di un uomo che non era suo. 'Perché abbiamo questa smania di venire al mondo anche senza garanzie di felicità? È proprio vero che nelle nostre vene scorre sangue di Deficienti,' pensò Lafemmina.

Ma fu un attimo, perché tutta la sua natura, irrimediabilmente, senza più autonomia, apparteneva a Luis Veloce. Non poteva avere altri pensieri. Lo raggiunse, gli si inginocchiò accanto e gli appoggiò una mano sul petto magro, senza parlare.

La folla guardò commossa i due amanti che stavano per essere separati dalla scure del boia. Le donne piansero ancora più lacrime. Gli uomini massacrarono con maggiore rabbia i loro cappellacci, cercando il coraggio di opporsi a quello scempio.

"Quest'uomo verrà giustiziato alla fine della funzione perché è il cancro di Dio!" urlò il gemello, comparendo dietro l'altare maggiore e indicando Luis Veloce. Fece il giro dell'altare. "Alzati, madre," ordinò a Lafemmina e mosse un passo verso di lei, con la mano tesa per prenderla.

"Non provare a toccarla," disse Luis Veloce.

Il gemello lo colpì con uno schiaffo. Poi tornò a rivolgersi a Lafemmina: "Alzati, madre."

"Non provare a toccarmi," disse Lafemmina e si strinse più forte a Luis Veloce.

Il figlio si fermò e per un attimo il suo sguardo atroce si smorzò, vittima del pregiudizio di tutti i figli, che riconoscono in eterno alla propria madre – anche nel caso in cui l'abbiano picchiata a sangue – un'autorità e una forza indiscutibili.

E questo attimo gli fu fatale. La folla non aveva mai compreso la forza di Lafemmina, ma la debolezza del gemello saltò subito agli occhi di tutti. E quella debolezza rinvigorì anche i deboli. Mentre il gemello perdeva carisma, una voce si alzò dal popolo: "È il vostro dio il nostro tumore perché ci si è infilato nella testa, ci ossessiona e non ci lascia vivere in pace come le bestie!"

"Chi ha osato?" urlò il gemello, frustando l'aria col naso aguzzo mentre spostava il volto a scatti a destra e a manca, strizzando gli occhi in cerca del colpevole, pronto a cogliere la minima disarmonia nella compatta marea di teste che subito s'erano abbassate, per un atavico riflesso fatto in ugual misura di servilismo e paura. "Alzati!" urlò alla madre. Non poteva vederla lì, abbracciata a quell'uomo. La testa gli si riempiva delle immagini sconce evocate dal resoconto della serva. "Alzati!" urlò in preda all'isteria e la colpì con un calcio. E poi ancora e ancora.

Ma Lafemmina non mollò la presa su Luis Veloce. Né si lasciò scappare un verso di dolore. O anche solo una smorfia.

"E se il cancro non fosse né Luis Veloce né Dio?" urlò allora Agustin della Battaglia. "Se il cancro foste tu e tuo fratello?"

"Uccidetelo!" ordinò il gemello alle guardie.

Subito la folla riassorbì nel suo corpo il rivoluzionario, nascondendolo. E, tornato a essere un solo organismo, il popolo cominciò a gonfiarsi, a ondeggiare, a spingere dalle retrovie, che più facilmente trovavano il coraggio, in proporzione inversa alla distanza che li separava dal pericolo. La marea si increspò, producendo una vibrazione sonora, un brontolio sommesso, come la risacca quando forza gli scogli e prova a scavalcarli. I calici sull'altare tintinnarono.

"Indietro!" urlò il gemello alla folla. "Ve lo ordino! Indietro!"

Le guardie armarono le balestre e le puntarono contro la folla.

La risacca indietreggiò, si scontrò con l'onda di popolo che invece, da dietro, continuava a spingere, s'impennò per un attimo e poi, per un semplice moto inerziale, si rovesciò verso l'altare.

"Sì! Ora!" urlò Luis Veloce alla folla.

Le guardie spararono i loro dardi. E caddero tanti paesani quanti erano i dardi. Ma a quel punto era impossibile fermare la marea. Né le guardie fecero in tempo a ricaricare le balestre e dovettero accettare il combattimento all'arma bianca. Scintillarono coltelli molto più veloci e precisi delle ingombranti spade delle guardie. E volarono pugni, calci, morsi. La fila di guardie arretrava, pressata.

"Maledetto!" ringhiò il gemello a Luis Veloce, reso folle dall'immagine della madre che lo preferiva a lui. "Tu almeno non vivrai!" e gli si gettò contro con un coltello raccolto da terra.

Lafemmina si parò istintivamente davanti a Luis Veloce, per proteggerlo. "No!" gridò Luis Veloce. E certamente Lafemmina sarebbe stata uccisa dal figlio, ormai accecato dal furore, se Rubezia, con uno slancio repentino, non si fosse frapposta tra Lafemmina e il coltello, ricevendo il colpo destinato a separare per sempre i due amanti. La lama le penetrò a fondo nell'addome. La puttana si accasciò a terra.

La folla ruggì. Il gemello scappò, infilandosi nella sagrestia, seguito dal chierico. Il boia, invece, fu ucciso in un attimo, con la sua stessa scure.

Lafemmina era china su Rubezia. "No... no..." diceva piano.

Rubezia respirava a fatica. Un fiotto denso e scuro di sangue le ruscellava in grembo. La puttana si guardò la ferita, come a convincersi che sarebbe morta. Poi attirò a sé Lafemmina. "Ti ho salvata... Mi devi un favore... Ricordalo quando sarà il momento..." e morì.

Tutt'intorno la furia della folla esplose. Fu come un ruggito straordinario, come una gigantesca onda sonora che tuonando andò a infrangersi contro l'altare. L'impatto fu terribile, fece tremare la struttura in pietra e la incrinò. Poi l'onda s'incanalò verso il coro, lo sconquassò, rimbalzò contro l'arcata maggiore e finì per frantumarsi in tanti piccoli torrenti, pieni di mulinelli insidiosi, e ognuno dei rivoli invece d'estinguersi ingrossò la fiumana di gente che straripò limacciosa fuori della chiesa per le polverose strade del paese, bagnando d'ira tutto quello con cui entrava in contatto.

LO SCEMO DEL VILLAGGIO

Quando Luis Veloce reclama la testa del Grande Scomunicato.

La folla infuriata scoprì di avere una gran smania di distruggere e cominciò a dar fuoco a tutto quello che trovava sul proprio cammino. Quelli che si salvavano dall'incendio della propria abitazione davano fuoco alle case degli altri. Chi scappava impaurito dal tumulto finiva involontariamente per accodarsi e ingrossare il tumulto stesso, rincorrendo in un grottesco carosello quegli stessi da cui fuggiva.

Il Grande Scomunicato, dalla sua postazione in cima alla collina, aveva cominciato a vedere i primi fuochi e poi alte colonne di fumo che s'arrotolavano verso il cielo, scomposte appena da qualche refolo di scirocco. Allora era sceso verso le case, camminando incerto, imbambolato, appoggiandosi a un bastone. Era giunto in paese incuriosito dalla violenza, come attratto dall'eco di qualcosa che però aveva dimenticato.

Così si aggirava tra la folla impazzita, senza paura né foga. Guardava tutto e tutti, e sorrideva. Un sorriso ebete e insieme gioioso. Gli occhi spenti si erano accesi di un'antica luce. Aveva uno sguardo a metà tra la felicità e la

191

malinconia, pur senza essere capace di comprendere né l'una né l'altra emozione.

Procedeva lentamente, nella polvere eccitata delle strade. Vagava disorientato quasi che, ai suoi occhi, il disegno urbanistico del paese si fosse fatto sconclusionato. Non riconosceva né le strade né i martiri agonizzanti ai crocicchi. La vista della collina era impedita dalle fiamme. Quando echeggiarono in lontananza le prime esplosioni, il Grande Scomunicato vide salire verso il cielo plumbeo colonne di fumo ancora più tetre. L'aria si saturò di urla impaurite. Poi le strade strette e sabbiose furono invase dalla folla. Da cosa fuggissero, nessuno avrebbe saputo dirlo. Erano degli animali intrappolati in una foresta in fiamme. Fiamme che avevano appiccato loro stessi.

"Correte, correte!" urlava contento il Grande Scomunicato, quando un'ondata di folla lo superava, spronandoli come fosse una gara di atletica. "Correte!" E rideva.

La folla impazzita sembrava non vederlo. Estemporanei concentramenti di persone pigiate fra loro all'inverosimile passavano correndo in una direzione qualsiasi, spingendolo contro i muri secchi delle case. Di lì a poco, scomparso quel gruppo, un'altro assolutamente identico, ma che correva nella direzione opposta, lo spintonava nell'anfratto di una porta. Le ondate di folla si annunciavano con una vibrazione sorda del terreno, poi la mandria vociante compariva, con un frastuono assordante. Quando era passata, le orecchie ancora ronzavano. Un disgraziato a terra, calpestato, gemeva e si trascinava con le braccia. Aveva le gambe spezzate e un rivolo scuro di sangue gli scomponeva il disegno delle labbra. Non voleva fermarsi, procedeva lentamente nella direzione del suo gruppo.

'Sarà un massacro,' pensò il Grande Scomunicato. E di nuovo rise, come non gli succedeva da tanto tempo.

Poi sentì la terra vibrare di nuovo. E di nuovo il vociare, le urla. Il Grande Scomunicato batté le mani, eccitato come un bambino alle giostre. Il disgraziato con le gambe spezzate alzò il capo e allungò una mano verso la gente che gli correva incontro. La massa sciamò, veloce quanto poteva a causa delle strettoie che intasavano il flusso, rimbalzando contro i muri, riempiendo ogni spazio disponibile. Quando l'ondata fu passata, il disgraziato era immobile, scomposto, tumefatto, la mascella svincolata dalla mandibola, la pelle tesa e gonfia là dove l'osso aveva smarrito l'articolazione. Accanto a lui una donna, anch'essa distesa a terra. Si guardava con meraviglia la schiena, il collo completamente torto. L'aria le gorgogliava in gola, raschiando la trachea arrotolata come una vite.

Il Grande Scomunicato le si avvicinò, incuriosito da quella strana posizione. La donna morì in pochi istanti, il mento appoggiato tra le scapole, senza perdere l'espressione stupita, anche quando le uscì di bocca un rutto di sangue raggrumato. E il Grande Scomunicato non smise un solo istante di sorriderle.

Poi però si sentì stanco, arrancò a fatica fino alla piazza davanti alla chiesa e si sedette sui gradini del sagrato.

Il cielo si riempiva sempre più di fumo e lingue di fuoco. La terra vibrava senza sosta. La piazza si riempì di gente, due schieramenti confluiti contemporaneamente nello slargo. Due masse contrarie, che cercavano di farsi strada nella direzione opposta. I contendenti cozzarono fra loro come due eserciti in fuga, crollando gli uni addosso agli altri. Gli uomini abbracciati a donne che non erano le loro mogli, i padri con i figli altrui, quelli che trasportavano i propri beni per paura del saccheggio con quelli che avevano saccheggiato i beni altrui. E allora cominciarono ad accapigliarsi senza più sapere chi fosse l'amico e chi il nemico.

Brandivano coltelli e mazze di legno. Gesticolavano furiosamente, imprecavano, e chi li seguiva s'infiammava senza conoscere la ragione della sua stessa rabbia.

Il Grande Scomunicato guardava i luccichii delle lame scomparire nei corpi per poi riaffiorare, il metallo sempre più opaco di sangue. E ascoltava i tonfi del legno che spaccava ossa e spappolava muscoli, suoni sordi che gli ricordavano la sua infanzia quando le domestiche, nei giorni assolati di festa, battevano sui materassi per cacciare la polvere e le cimici.

"Fatene quello che volete," diceva ai paesani, come anni prima aveva detto ai nipoti. "Non me ne importa niente."

In quel mentre, sgusciando fuori dalla sagrestia, dopo essersi liberato del manto ecclesiastico, con un cappuccio in testa per non farsi riconoscere, il gemello prete lo vide e lo raggiunse. Gli si aggrappò al braccio.

Il Grande Scomunicato lo guardò, ebete, senza parlare.

Il nipote roteava gli occhi, tenendo lo sguardo sulla folla, terrorizzato all'idea di essere riconosciuto. "Nonno," disse con una voce sottile e spaventata. "Mi vogliono ammazzare…"

In quel momento un cavallo bianco, imbizzarrito, si infilò nella piazza, si fermò davanti al Grande Scomunicato e si impennò, lanciando un acuto nitrito. Gli zoccoli anteriori dell'animale, ricadendo, atterrarono sui gradini del sagrato, scheggiandoli, a pochi centimetri dal Grande Scomunicato. Il gemello si spaventò e si buttò all'indietro. Il Grande Scomunicato invece si alzò e accarezzò il muso del cavallo, tranquillizzandolo. Lo attirò a sé e gli sussurrò nell'orecchio: "Corri, amico mio. Corri." E il cavallo, come se gli ubbidisse, scalciò un paio di paesani che cercavano di catturarlo e si dileguò verso il deserto.

Allora il volto del Grande Scomunicato si rabbuiò. I

suoi occhi velati dalla cataratta si riempirono di lacrime e di dolore. "Sono tutti andati," disse piano.

"Mi scannano, nonno!" tornò alla carica il gemello, scuotendo il vecchio dittatore per un braccio. "Devi fermarli!"

Il Grande Scomunicato se lo scrollò di dosso come avrebbe fatto con un insetto fastidioso e insignificante.

Il gemello inciampò e il cappuccio gli cadde dalla testa.

E allora, solo allora, i rivoltosi notarono il Grande Scomunicato. E videro il gemello. Si lanciarono addosso a entrambi, catturandoli in un attimo. "A morte! A morte!" urlavano trascinandoli per le strade, diretti al palazzo stretto d'assedio.

Il gemello urlava terrorizzato. All'improvviso era solo un ragazzino che stava per essere ammazzato, nulla più.

"Fatene quello che volete," continuava a ripetere il Grande Scomunicato, che si era fatto triste, ma sempre mantenendo quella sua aria vaga, come se non fosse veramente lì, in quel momento. "Sono tutti andati. Tutti morti," farneticava, ripensando ai cavalli mitologici che aveva avuto la fortuna di vedere in azione e ai ventiquattro Mentecatti, che gli mancavano più che mai. "Li ho uccisi io," diceva. "Tutti e ventiquattro."

"Ne hai uccisi molti di più," disse un popolano che si era impossessato della scure del boia. "E adesso la pagherai cara."

Arrivati in piazza – mentre infuriava la battaglia con le guardie asserragliate nel palazzo, che provavano una strenua difesa, meglio armate ma inferiori numericamente – il popolo prese il gemello prete, lo infilò in una gabbia così piccola che ci doveva stare rannicchiato, senz'alcuna possibilità di movimento, e lo espose alla berlina.

Quando ebbero sistemato il gemello, i rivoltosi si buttarono sul Grande Scomunicato. Il popolano che si era impossessato della scure del boia rivendicò per sé il privilegio di giustiziare il vecchio dittatore. Senza che il Grande Scomunicato si opponesse – o che capisse cosa stava per succedere – lo misero in ginocchio e gli appoggiarono la testa a un ceppo improvvisato.

Il nuovo boia aveva già alzato la scure, pronto a calarla, quando si sentì un grido perentorio: "Fermi!"

Tutti si voltarono. Lafemmina e Luis Veloce avanzavano piano, tenendosi per mano. Lafemmina cercava di nascondere la paura che le balenava negli occhi. Aveva il vestito lacero e il nero brillante dei suoi capelli s'era stinto nella polvere. Luis Veloce invece fissava i paesani con uno sguardo fermo, che li dominava. Non era più nudo, si era buttato addosso un mantello vermiglio.

Il boia fermò il gesto a mezz'aria. Scese un innaturale silenzio.

Quando era scoppiato il caos, Lafemmina era riuscita a trovare le chiavi dei lucchetti che stringevano le catene di Luis Veloce. Lo aveva liberato e Luis Veloce l'aveva scortata fin sulla collina. Lì Lafemmina si era accorta che il padre non c'era più. Inizialmente s'era disperata, pensando che fosse stato ucciso, ma poi lo aveva visto vagare per le strade del paese. "Lascia morire lo scemo del villaggio," le aveva detto Luis Veloce. Lafemmina gli aveva voltato le spalle e aveva cominciato a scendere dalla collina per salvare suo padre. Allora Luis Veloce l'aveva raggiunta e le aveva detto: "Lo salverò, anche se avevo giurato d'ammazzarlo."

E così adesso la folla s'era azzittita e lo guardava avanzare.

"La sua testa è mia!" urlò Luis Veloce.

La folla protestò.

"La sua testa è mia!" urlò di nuovo Luis Veloce, con più forza, spintonando via il boia. Poi afferrò il Grande Scomunicato per i pochi capelli che gli restavano, costringendolo ad alzarsi. Strappò di mano a un paesano un coltellaccio e lo appoggiò alla gola del vecchio dittatore.

"No!" lo pregò Lafemmina, con gli occhi colmi di lacrime.

"La sua testa è mia!" urlò per la terza volta Luis Veloce. Poi – come aveva fatto a suo tempo il Grande Scomunicato con lui – passò la lama sulla pelle, ma senza affondare nella carne, e incise tutto il collo del dittatore, riproducendo il segno circolare della propria cicatrice.

Il sangue gocciolò copiosamente dalla ferita. Luis Veloce attirò a sé il Grande Scomunicato e gli mormorò nell'orecchio: "Ora siamo pari, bastardo." Poi lo prese per un braccio e, insieme a Lafemmina, lo trascinò via.

La folla si aprì silenziosamente in due ali, lasciandoli passare.

Mentre si allontanavano, il gemello catturato dai rivoluzionari urlava, rinchiuso nella sua gabbia: "Mamma! Mamma!"

Ma Lafemmina non si voltò.

LE DUE COLLANE DI CARNE

Quando il Grande Scomunicato piange perché non ha l'anima e Lafemmina annuncia che partorirà un figlio.

Lafemmina guardava la ferita che correva tutt'intorno al collo di suo padre. Aveva smesso di sanguinare e stava crescendo una crosta spessa e scura. Poi si sarebbe formata una cicatrice, pensò Lafemmina. Identica a quella di Luis Veloce. Identica a quella collana di carne che con tanto trasporto lei aveva accarezzato e baciato quando avevano fatto l'amore. E questo le faceva nascere dentro una strana sensazione di disagio. Come se le due figure tendessero a sovrapporsi.

Lafemmina scosse il capo, infastidita, quasi che potesse liberarsi di quegli imbarazzanti pensieri alla stessa maniera in cui un animale bagnato, scuotendo il pelo, si sbarazza dell'acqua.

Distolse lo sguardo dalla ferita del Grande Scomunicato. Gli andò vicina e lo abbracciò. Erano due giorni che il vecchio dittatore era di umore malinconico. Lafemmina supponeva che dipendesse da quello che succedeva in paese.

Il primo giorno la folla inferocita aveva attaccato il palazzo del Grande Scomunicato e abbattuto la lapide con su scritto *"Attendite a falsis prophetis, qui veniunt ad vos in vestimentis ovium: intrinsecus autem sunt lupi rapaces"*, che nessuno aveva mai decifrato ma nei confronti della quale i paesani avevano sempre provato un'istintiva avversione. Dalla loro postazione in cima alla collina, padre e figlia avevano visto i rivoluzionari forzare il grande portone e riversarsi nelle sale brandendo falci e forconi. Li avevano sentiti scannare i servi e aprire squarci nei muri. Avevano visto i predatori fuggirsene carichi di ori, gioielli e ogni ben di Dio.

Gran parte delle mura era crollata. Anche la torre che per anni era stata la prigione di Lafemmina era venuta giù. Era rimasta in piedi solamente la parete dalla quale si sporgeva l'arcangelo Michele, sfidando le leggi della fisica, per qualche ora. Poi, quando crollò, in molti giurarono di aver visto l'arcangelo Michele volare via, disgustato. E di fatto, che fosse vero oppure no, della statua non si trovò traccia tra le macerie a terra.

Il gemello prete, rinchiuso nella gabbia e messo alla berlina, coperto di insulti e sputi, rotolandosi nelle sue stesse feci e umido della propria urina, era morto in giornata. L'altro gemello era stato catturato, vestito da giullare e portato in giro per il paese con una catena al collo. Poi Lafemmina aveva visto i rivoltosi sbracciarsi e urlare nella sua direzione perché volevano mostrarglielo, perché volevano anche le sue lacrime. Ma lei non aveva pianto.

"Perché hai creato tutto questo?" chiese Lafemmina al Grande Scomunicato, mentre osservavano lo scempio.

Il vecchio dittatore si voltò, con un'espressione seria. La fissò a lungo, come rimuginando la risposta. "Ho regalato l'anima ai Mentecatti," disse invece dopo un po'. "Ventiquattro anime."

"Sì…" mormorò Lafemmina, rinunciando ad avere risposte, e guardò verso una roccia alla base della collina, sulla quale Luis Veloce sedeva di guardia, con una mazza in mano.

Solo il primo giorno un gruppetto di esagitati gli si era stretto minacciosamente intorno. Luis Veloce s'era alzato in piedi, aveva fatto mulinare la sua arma e li aveva dispersi senza sprecare una sola parola. I paesani che ora transitavano nei pressi sembravano temerlo. Si mantenevano a una distanza di sicurezza dal bastone, lo salutavano rispettosamente e cambiavano direzione.

"Però nessuno l'ha mai regalata a me," borbottò il Grande Scomunicato.

"Cosa?" fece soprappensiero Lafemmina.

"L'anima," disse il Grande Scomunicato, con una voce sottile. "Peccato. I Mentecatti erano i miei soli amici e non potrò mai più rivederli." E allora, con il cuore smarrito, cominciò dignitosamente a piangere.

"E se te la regalassi io l'anima?" gli disse Lafemmina.

"Davvero lo faresti?"

"Certo. Contaci."

Il Grande Scomunicato sorrise come un bambino. E in un attimo tutta la sua malinconia svaporò.

"Stai qui buono, adesso. Non muoverti," gli disse Lafemmina e si alzò per raggiungere Luis Veloce. Aveva fatto pochi passi che il padre la chiamò.

"Bambina mia," le disse il Grande Scomunicato, "non esiste un solo posto al mondo dove gli uomini non si ammazzino fra loro." Le sorrise come un buon padre e aggiunse: "Non aver paura. È naturale."

Lafemmina annuì, senza sapere cosa rispondere, senza sapere se il padre capiva davvero quello che le aveva appena detto. Annuì, incapace di sorridere con la stessa trasparenza e leggerezza del Grande Scomunicato. Rimase a guardarlo per un attimo. Poi si avviò giù per il pendio della collina e si sedette accanto a Luis Veloce. Intrecciò la propria mano con quella del suo uomo e rimasero così, in silenzio, finché fece buio.

La notte le travi dei tetti e gli infissi delle porte mandavano sinistri bagliori di brace, il fumo sembrava più bianco e i cadaveri dei paesani, ammucchiati nella piazza principale, proprio davanti al palazzo del Grande Scomunicato, non facevano la stessa lugubre impressione che di giorno, quando l'impietosa luce si divertiva a evidenziare un braccio torto o una bocca spalancata o una gamba disarticolata, come vessilli di morte. Branchi di cani randagi mugolavano affamati intorno alla piramide di corpi, con le narici eccitate dal potenziale pasto pantagruelico, tenuti lontani solo dalle sassate delle sentinelle.

L'alba stava per sopraggiungere quando Lafemmina, guardando quel poco che ne restava, si rese conto che il paese assomigliava sempre più all'originario deserto che il Grande Scomunicato, col suo disgraziatissimo arrivo, aveva stravolto. "Le cose stanno finendo," disse con un'intonazione struggente.

"Sì…" disse piano Luis Veloce e si voltò verso di lei. Aveva uno sguardo preoccupato. Le strinse più forte la mano, pensando che anche loro sarebbero finiti presto, allora.

Lafemmina sapeva cosa lo angosciava perché era la sua stessa paura. "Regalerò anche a te un'anima," gli disse. "Così dopo non ci perderemo."

"Come?" chiese perplesso Luis Veloce.

"Lascia perdere. È una stupidaggine," sorrise Lafemmina. "Era un gioco che facevo prima con mio padre."

"Ah…" disse Luis Veloce e scrutò l'orizzonte.

Il sole cominciava ad affacciarsi al di sopra delle macerie, mostrando con nuova crudezza il disastro.

E osservando tutta quella morte, Lafemmina disse: "Sono incinta. Ti darò un figlio."

In quel momento, prima che Luis Veloce potesse dire qualcosa, esplose un urlo, potente come un tuono. La vibrazione fece fremere l'aria immobile del deserto. Dalla polvere delle strade si alzarono e vorticarono decine di mulinelli, grigi della cenere degli incendi. Un unico, violentissimo urlo, gridato a gran voce da tutti i sopravvissuti.

"È nata la democrazia!" risuonava per le strade del paese, a ogni angolo, a ogni crocicchio, nelle piazze, nelle case e nelle osterie dove scorrevano fiumi di vino. "È nata la democrazia!" E questa parola, più ancora dell'alcol, ubriacava uomini e donne di tutte le età.

"Ti darò un figlio," ripeté Lafemmina. "Ma non so cosa potremo dare noi a lui."

UNO SCAMBIO DI CORTESIE

Quando il Grande Scomunicato guadagna una nipote, un bambino e un cagnolino.

Nove mesi più tardi la democrazia morì, trucidata da un feroce colpo di Stato. Caddero teste a mazzi e furono esposte in cima a dei lunghi pali, sui ponti e per le strade, a monito degli uomini e per la gioia dei corvi.

Era iniziato il Terrore.

Uno dei primi a morire fu il presidente Agustin della Battaglia. Fu pugnalato nel suo letto, di notte, insieme alla moglie. E i cospiratori, presi dalla foga del sangue, stavano per uccidere anche il bambino che tutti credevano figlio della coppia. Ma una serva che aveva fatto la puttana alla Vascongada urlò loro di fermarsi e rivelò che il bambino era in realtà figlio di Rubezia e Luis Veloce. I cospiratori, sentendo quei due nomi, si fermarono coi coltellacci in aria. Rubezia era considerata un'eroina, essendo morta nella prima, gloriosa rivoluzione, come un martire. E Luis Veloce, nonostante si fosse dissociato dalla rivoluzione per amore, rimaneva l'indiscusso simbolo dell'indomabilità dei ribelli.

"Il figlio della Rivoluzione!" esclamò uno dei cospiratori, lasciando cadere il coltello e prendendo in braccio il bambinetto, che aveva cinque anni e un'espressione sorridente, tranquilla, per nulla impaurita. Aveva occhi piccoli che sembravano persi a osservare qualcosa che gli altri non vedevano e una carnagione giallastra, come la sua bisnonna Urgulanilla, la Mentecatta. Ispirava un'immediata simpatia.

"Il figlio della Rivoluzione!" inneggiarono tutti i cospiratori, lanciando in aria il bambino, che non rideva divertito né si spaventava, come se la cosa, semplicemente, non lo riguardasse, se non marginalmente.

Quando lo misero giù, il bambino corse alla finestra della sua camera, spalancando gli occhietti come per una buona notizia. Si issò su una cassa e si sporse dal davanzale, guardando verso la collina. E poi a un certo punto cominciò a ridere, contento. E si mise a battere le manine dalle dita corte e tozze.

I cospiratori pensarono che non dovesse essere un granché intelligente. "Il figlio della Rivoluzione!" urlarono comunque alla folla, perché tutti conoscessero la buona nuova.

Intanto, in cima alla collina, in una stanza del mausoleo, nel momento stesso in cui il figlio della Rivoluzione rideva e applaudiva per una gioia che nessuno poteva immaginare, nasceva la figlia di Lafemmina e Luis Veloce. La bambina venne al mondo con solo quattro dita della mano sinistra, come la madre. E un colorito giallastro. Aveva un'espressione simpatica, vagamente distratta – come se fosse superiore alle atrocità del mondo – e una faccia rugosa da tartaruga. Così rugosa da sembrare già vecchia. Lafemmina e Luis Veloce, vedendola, risero di gusto. E Lanonna, tutto attaccato, fu il nome che le diedero.

I due genitori uscirono all'esterno e portarono la neonata al centro del cerchio di ventiquattro lapidi dove stazionava ormai stabilmente il Grande Scomunicato. Gliela mostrarono, fieri.

Il vecchio si voltò verso la bambina e scoppiò in una fragorosa risata. "Siete tornati!" esclamò e accarezzò la lapide sulla quale era scritto il nome di Urgulanilla. "Siete tornati! Siete tornati!" ripeteva accennando dei goffi passi di danza.

Lafemmina e Luis Veloce non capirono.

Nei giorni successivi guardarono l'evolversi della situazione in paese. Nuovo sangue stava scorrendo. La democrazia si era rivelata una chimera. La nuova rivoluzione sembrava solo la sterile ricerca di qualcosa di irrimediabilmente perso. E forse per questo i paesani apparivano così soli. Vagavano sgomenti, senza meta, senza distinguere i cadaveri dai vivi. In un impeto di generosità, Lafemmina augurò al paese che nascesse presto un altro tiranno capace di resuscitare le antiche ingiustizie.

E proprio mentre formulava questi pensieri, vide una delegazione di ribelli che si preparavano a scalare la collina.

"Fermi là!" urlò Luis Veloce.

Non sembravano avere intenzioni bellicose, ma per prudenza Luis Veloce si armò della sua mazza mentre scendeva a sentire cosa volevano. Lafemmina lo seguì, tenendo in braccio Lanonna. I ribelli erano una decina. Luis Veloce li conosceva. Li salutò brevemente.

Uno dei rivoluzionari teneva in mano il capo della catena stretta al collo del gemello sopravvissuto, che ora campava vestito da buffone e veniva ereditato, di volta in volta, da coloro che salivano al potere. Il poveraccio aveva gli occhi spenti, senza la minima traccia della ferocia e dell'arroganza che aveva caratterizzato la prima parte della sua vita. Adesso era solo un ragazzetto di sedici anni, rassegnato al costante terrore nel quale campava. Sembrava in tutto e per tutto un animale domato e addomesticato. E come tale veniva esibito.

"Lo voglio io," disse il Grande Scomunicato che si era accodato a Lafemmina senza farsene accorgere.

Luis Veloce alzò subito la mazza, certo che i ribelli, vedendo il Grande Scomunicato, tentassero un'azione aggressiva.

Quelli invece si inginocchiarono di fronte al vecchio dittatore e il rivoluzionario che teneva il gemello al guinzaglio passò la catena al Grande Scomunicato, rispettosamente. "Siamo venuti a chiederti di riprendere il controllo del paese," gli dissero. E poi gli porsero l'anello maledetto, che era stato ritrovato nella sabbia.

Il Grande Scomunicato guardò il gioiello. Scosse il capo. "Non è mio," disse. "Lo riconosco, è del Santo Padre…"

"Stiamo perdendo la ragione senza la tua ingiustizia," confessò uno dei ribelli, prostrandosi ancora di più ai suoi piedi.

"Brutta cosa diventare matti," disse il Grande Scomunicato, con un'espressione seriamente dispiaciuta. "Brutta cosa," ripeté. Poi diede una strattonata alla catena del nipote e si incamminò verso la cima della collina. "Andiamo, cagnolino."

I rivoluzionari guardarono in silenzio le due patetiche figure che si allontanavano. Poi, a testa china, tornarono da dove erano venuti.

Lafemmina cercò la mano di Luis Veloce e gli affidò la propria. "Stringimela," disse. E intanto si accostava Lanonna al seno.

In lontananza si sentirono le urla dei paesani che riprendevano a scannarsi fra loro, dando fondo a tutta la rabbia di cui erano capaci per non ascoltare la disperazione che avevano dentro.

"Tra poco crederanno di essere di nuovo felici," disse una voce.

Lafemmina e Luis Veloce si voltarono e videro una donna, in disparte, che teneva per mano un bambino, basso, grassoccio e con la carnagione giallastra. La donna e il bambino si avvicinarono strascicando le scarpe nella sabbia ingrigita dagli incendi.

Lafemmina e la donna si guardarono in silenzio.

"Oggi non ho clienti," disse poi la donna, "ma quando avranno sparso abbastanza sangue correranno tutti al bordello. Non c'è niente come la morte e la paura che metta in corpo a questi disgraziati la voglia di scopare una puttana."

"Chi sei?" le chiese Lafemmina.

"Ero una puttana della Vascongada," rispose la donna. "Poi sono stata la serva di Agustin della Battaglia… e ora che l'hanno ammazzato dovrò tornare a fare la puttana, se voglio campare."

"Che vuoi da me?" le chiese Lafemmina.

"Da te niente," le rispose la donna. Sussurrò qualcosa nell'orecchio del bambino, gli ravviò i capelli chiari e stopposi e poi lo spinse verso Luis Veloce. "È tuo figlio," disse allora. "Tuo e di Rubezia. L'aveva affidato alla moglie di Agustin. Rubezia non voleva che tu lo sapessi ma io devo lavorare e non posso tenerlo."

Luis Veloce si voltò preoccupato verso Lafemmina.

Lafemmina ricordò le parole che Rubezia aveva pronunciato in chiesa, prima di morire. E capì perché la puttana rivoluzionaria le aveva detto: "Mi devi un favore. Ricordalo quando sarà il momento."

Luis Veloce la guardava titubante, temendo una scenata.

"Be', che hai?" gli disse Lafemmina. "Avanti, dai un bacio a tuo figlio."

Luis Veloce accarezzò la testa del bambino.

"Bacialo," ordinò Lafemmina.

Luis Veloce si chinò sul bambino e lo baciò su una guancia.

"Come si chiama?" chiese Lafemmina alla donna.

"Nessuno gli ha mai dato un nome," rispose quella e se ne andò.

Lafemmina si avvicinò a Luis Veloce e lo colpì con uno schiaffo potentissimo. Poi fece una carezza al bambino e gli sorrise. "Tu non c'entri nulla, lo capisci?"

Il bambino non la guardava. Fissava Lanonna, rapito. Aveva la bocca spalancata e gli occhi pieni di luce.

"Andiamo," gli disse Lafemmina e lo prese per mano.

Luis Veloce li seguì in silenzio.

Un'ora più tardi, dopo aver allattato Lanonna – senza che il nuovo bambino staccasse mai gli occhi dalla neonata –, Lafemmina chiese a Luis Veloce, che se ne stava in un cantuccio, a testa bassa, mogio come un ragazzino che aspetta la sgridata: "Cosa hai da dire?"

Luis Veloce rispose: "Mi sono visto allo specchio. Mi sono guardato i segni dello schiaffo e ho capito che non hai solo quattro dita, come credono tutti. Ne hai cinque, di cui una invisibile." Le andò vicino e le porse la guancia colpita. "Guarda anche tu. Ci sono cinque impronte," disse contento.

E allora Lafemmina capì che gli uomini, anche quelli come Luis Veloce che erano i migliori uomini del mondo, avevano una tara congenita che non gli permetteva di vedere oltre il proprio naso. E probabilmente non c'era nulla da fare per curare quella tara. Così lo colpì con un altro poderoso schiaffo, tanto per il gusto di farlo, e disse: "Oh, guarda! È vero, amore mio! Cinque impronte!"

Dal cerchio di lapidi dei ventiquattro Mentecatti venne la risata del Grande Scomunicato.

"Cos'hai da ridere tu?" gli urlò Lafemmina, aggressiva.

Il Grande Scomunicato fece finta di non avere sentito e lanciò un osso al nipote, che aveva legato a un palo, poco distante da lì. "Su, mangia, cagnolino," gli disse.

IL NONNO BUONO

Quando il Grande Scomunicato spiega ai due bambini che i nomi sono l'inizio della fregatura.

Nei giorni seguenti Lafemmina, come ogni donna – 'Perché questa è invece la tara del nostro genere,' pensò –, perdonò Luis Veloce e si abbandonò al loro amore, che era pieno e assoluto, e felice ed esaltante, anche se, poco più sotto, in paese, la sabbia si andava colorando di rosso.

Ma questo totale abbandono poté avvenire anche grazie al nuovo bambino. Infatti, il giorno stesso in cui era stato accolto, il bambino a cui ancora nessuno aveva messo un nome – e che veniva chiamato genericamente Nuovo –, sempre seguendo Lafemmina, o meglio Lanonna, si era ritrovato vicino alle due in una stanzetta del mausoleo che fungeva da fasciatoio.

"Cos'è, una puzzola?" aveva chiesto, parlando per la prima volta e indicando la neonata, stesa su un tavolaccio.

"No, s'è cacata addosso," aveva risposto pragmaticamente Lafemmina mentre scioglieva le fasce e lavava Lanonna.

Nuovo si era sporto verso l'esserino, studiandola attentamente, e aveva detto: "Poveraccia, non ha il pisello."

Lafemmina, che era schietta per natura ma poco avvezza al rapporto con i bambini, aveva risposto: "Non ha il pisello perché non ce l'ho nemmeno io."

Il bambino aveva pensato che doveva essere una specie di malattia familiare. E mentre si spremeva le piccole meningi, aveva aggrottato le sopracciglia in un modo buffo che il Grande Scomunicato, passando di lì, non aveva mancato di notare con un tuffo al cuore.

'Sono tornati!' aveva pensato ancora una volta.

Intanto Lafemmina, asciugata Lanonna, stava cercando di rivestirla ma la piccola si dimenava, strillando, come se le fasce fossero state immerse in un bagno d'ortica.

"Posso fare io?" aveva chiesto Nuovo.

Lafemmina l'aveva guardato stupita ma si era fatta da parte, per quella vecchia legge del presentimento che sembrava imperare su tutte le esistenze del paese. Nuovo aveva stretto le fasce attorno al corpicino di Lanonna, che non solo l'aveva lasciato fare ma rideva contenta. Alla fine Lafemmina, compiaciuta, per premiarlo l'aveva abbracciato. A quel punto, però, Lanonna si era messa a strepitare. Appena Lafemmina aveva sciolto l'abbraccio, Lanonna aveva smesso di frignare. Per curiosità Lafemmina era tornata a stringere il bambino e ancora la neonata si era messa a strepitare. Allora Lafemmina aveva pensato che fosse gelosa di lei, che volesse essere l'unico oggetto della sua attenzione di madre e se l'era portata al seno. Ma Lanonna si era divincolata come un'anguilla, rischiando di cadere, tanto che a un certo punto il bambino aveva allungato le braccia e s'era offerto di reggerla lui. E sempre ubbidendo a quel presentimento, Lafemmina gliel'aveva affidata. Lanonna, in un attimo, aveva smesso di agitarsi e si era raggomitolata soddisfatta e sognante tra le braccine paffute di Nuovo.

"Sono tornati," aveva sussurrato il Grande Scomunicato alla figlia, strabuzzando gli occhi velati dalla cataratta. Poi aveva fatto cenno al bambino di seguirlo.

Lafemmina aveva avuto la tentazione di fermarli, non poteva fidarsi del vecchio padre rimbambito. Ma ancora una volta non aveva fatto niente e aveva lasciato che gli eventi seguissero il loro corso.

Il risultato era che anche adesso, a distanza di giorni, sia Nuovo che Lanonna, sempre in braccio a lui, se ne stavano accanto al nonno, senza mai cercare un'altra distrazione, sia che il vecchio raccontasse loro delle storie del passato, sia che gli presentasse le lapidi come se fossero delle persone vive e vegete, sia che se ne stesse in silenzio, perso nel suo mondo.

E il Grande Scomunicato, dal canto suo, sembrava che non avesse mai aspettato altro. Quei due bambinetti erano il centro della sua vita, e – nonostante la sua svampitaggine senile – si dimostrava così caldo e affettuoso che se Lafemmina non avesse avuto il conforto dell'amore di Luis Veloce, che la colmava interamente, sarebbe morta dal dolore o dall'invidia vedendo cosa le era stato negato nell'infanzia, proprio dall'uomo che ora sembrava nato per essere un buon nonno.

Comunque, grazie a questo stato di cose, Lafemmina poté abbandonarsi anima e corpo al suo amore per Luis Veloce, al punto che a volte si dimenticava di allattare Lanonna. In quei casi Nuovo compariva accanto ai due amanti e con la sua espressione seria e simpatica tirava il vestito di Lafemmina, ricordandole il suo dovere. Nel lasso di tempo in cui Nuovo si occupava di portare Lafemmina al centro delle lapidi, Lanonna se ne stava tranquilla in braccio al nonno, che la cullava pericolosamente, reggendola con le sue mani ormai deboli e percorse dai tremiti della vecchiaia. Ma la piccola non mostrava nessuna paura, anzi, sembrava divertirsi su quell'ottovolante. E l'unico momento in cui si rabbuiava era durante l'allattamento, non per antipatia verso la madre, ma per l'amore viscerale che provava per Nuovo e per il nonno.

"Sono tornati," ripeteva all'infinito il Grande Scomunicato ogni volta che Lafemmina arrivava. E interrompeva qualsiasi racconto stesse facendo, come fosse un segreto tra loro tre.

"Quando ti chiamano Nuovo," l'aveva sentito dire al ragazzino una volta, "non rispondere, mi raccomando. Se ti dicono: 'Ehi, tu' allora va bene, voltati e rispondi. E non chiamare nemmeno lei Lanonna. Sempre 'Ehi, tu', a chiunque. Anche a me. I nomi sono l'inizio della fregatura, ricordalo."

Ma non conoscendo la storia dei Mentecatti, Lafemmina non poteva capire e si limitava a pensare che il Grande Scomunicato fosse sempre più rimbambito. Approfittando del suo stato confusionale, una settimana dopo, quando si presentò per allattare Lanonna, provò a dirgli: "Perché non sciogli il gemello e lo lasci libero?"

"Chi?" chiese il Grande Scomunicato.

Lafemmina guardò verso il disgraziato gemello, ancora a catena, ancora al palo, ancora vestito da giullare, che campava rosicchiando le ossa che gli tirava il Grande Scomunicato.

"Ah, il cagnolino," disse il vecchio. "No, no, non si può."

"Ma perché?"

"Perché morde e io non ho una museruola da mettergli."

"Non morde."

"Oh, sì che morde. E ha morsi avvelenati," profetizzò il Grande Scomunicato.

"È tuo nipote, sangue del tuo sangue," provò a commuoverlo Lafemmina.

"Come potrebbe mai un cane avere sangue umano?"

"Scioglilo, ti prego…"

"E va bene," sospirò il Grande Scomunicato. "Ma se succede un guaio, poi non venire a piangere da me."

E fu così che il gemello venne slegato e rimase a vivere in cima alla collina per paura di essere ammazzato dai paesani in eterna rivolta. Ma non trovò mai posto nel cerchio delle ventiquattro lapidi né con Lafemmina e Luis Veloce, che si isolavano sempre più dal mondo per raggomitolarsi l'uno nell'altra. Il gemello passava la maggior parte del tempo dietro un albero, a fissare il regno che era stato suo per un giorno soltanto. E dietro quell'albero, divorato dal rancore, ringhiava tutto il giorno, proprio come un cane rabbioso.

Quando Lanonna compì un anno e cominciò a sgambettare da sola, il Grande Scomunicato disse ai due bambini: "Bene, è ora che impariate a giocare per conto vostro. Il gioco ve lo insegneremo noi," e indicò se stesso e le ventiquattro lapidi. "Ma prima bisogna trovare dei cavalli mitologici a sei zampe di cui due invisibili."

IL FEDELE CANE RABBIOSO

Quando il Grande Scomunicato immerge il cucchiaio nella zuppa.

"Abbiamo provato anche con l'anarchia. Ma non funziona. Ci sono troppe regole," stava dicendo, a testa china, l'ultimo ideologo della rivoluzione al Grande Scomunicato. Era salito da solo in cima alla collina e stava rispettosamente fuori del cerchio di lapidi, all'interno del quale, insieme al vecchio dittatore, c'erano i due bambini che avevano nelle vene sangue di Mentecatti.

"Stai pestando la mia erba," disse il Grande Scomunicato.

"Ti supplico," continuò l'ideologo. "Se hai a cuore quello che hai creato, aiutaci, riprendi il potere…"

"Ho una missione molto più importante da compiere," rispose il Grande Scomunicato. Poi si avvicinò all'ideologo, guardandosi intorno, come a controllare di non essere spiato e parlò piano, perché nessuno potesse sentire: "Sai dove potrei trovare dei cavalli mitologici con sei zampe di cui due invisibili?"

Il rivoluzionario ebbe un moto di sconforto. Scosse il capo. "No, mi spiace," disse e ridiscese mestamente la collina.

"Non disperate, ragazzi," disse il Grande Scomunicato tornando a sedersi insieme ai due bambini. "C'è sempre una soluzione. Ho scavalcato montagne, figuriamoci se non risolverò anche questa faccenda." Poi si chinò verso il maschio e chiese: "Allora, quanti fili d'erba eravamo arrivati a contare esattamente?"

Il bambino disse: "Io tanti."

"Bene," fece il nonno. "E lei?"

Il bambino finse di parlare con la piccola, che gattonava beata tra le lapidi. "Lei tanti," disse poi.

Il vecchio annuì, concentrato, contando qualcosa sulle dita. Poi sorrise sdentato. "Ottimo," disse. "Tanti più tanti fa esattamente tantissimi. Continuate con questo gioco, ragazzi, finché trovo quello che fa al caso nostro…"

"Nonno," lo interruppe la voce roca del gemello sopravvissuto alla rivoluzione.

Il Grande Scomunicato lo guardò. "Bau bau," gli disse.

"Nonno, ascoltami," fece il gemello, con gli occhi spiritati. "Di' ai paesani che posso prendere io il potere al tuo posto…"

"Bau bau," ripeté il Grande Scomunicato.

"Brutto scemo, mi hai capito?" scattò esasperato il gemello.

"Grrr…" ringhiò il Grande Scomunicato.

"Che tu sia maledetto, vecchio pazzo!"

"Grrr…" ringhiò ancora il Grande Scomunicato mentre il gemello vestito da buffone si allontanava furibondo.

"Avete visto? È così che si parla ai cuccioli di cane," disse allora il Grande Scomunicato ai due bambini.

La furia e la frustrazione del gemello raggiunsero un livello di parossismo tale che, trovato un serpente a sonagli, lo catturò e gli spremette fuori il veleno con la stessa naturalezza con cui avrebbe estratto il succo da un limone.

"Maledetto vecchio!" borbottò mentre, senza farsi vedere da Lafemmina, versava il veleno del serpente a sonagli nella ciotola con la zuppa di farro e fagioli destinata al Grande Scomunicato. "E spero che tu soffra, bastardo!"

Ma a pranzo il Grande Scomunicato disse a Lafemmina che non aveva fame. "Però mi farebbero comodo delle forbici affilate e un po' di colla," le disse.

Lafemmina, che come sempre aveva fretta di tornare tra le braccia di Luis Veloce – perché il loro amore sembrava una fonte che non si sarebbe mai seccata –, non domandò al padre a cosa gli servissero forbici e colla. Esaudì la richiesta distrattamente. Poi baciò sua figlia Lanonna e il figlio di Rubezia e corse da Luis Veloce, che stava per immergere il cucchiaio nella zuppa di farro e fagioli.

"No, quella è per mio padre," lo fermò. "Non l'ha voluta a pranzo ma viene buona per cena. Lo sai che non mangia altro."

"Una cucchiaiata soltanto," la pregò Luis Veloce. "Ha un profumino delizioso."

"Piantala, sembri un ragazzino," sorrise Lafemmina levandogli di mano la zuppa avvelenata e riponendola nella dispensa. Poi si avvicinò al suo amato con uno sguardo provocante e gli disse: "Non hai niente di meglio da mangiare?"

Luis Veloce rise, l'abbracciò, tuffò la testa tra i seni e sospirò, estatico: "Miele, granturco, sale marino, coriandolo e fiori di lavanda... Mmh, che pietanza squisita." Rotolarono in terra, amandosi come ogni giorno, con un trasporto ancora maggiore della prima volta.

Quando si furono stancati e Luis Veloce le si addormentò addosso, avvinghiato, Lafemmina, con gli occhi sfocati nella notte che sopraggiungeva, osservando la volta celeste e ripensando agli anni in cui era vissuta segregata nella torre, pensò: 'Un tempo ero certa che se mi avessero tolto il cielo, il sole, la luna e le stelle sarei morta. E invece adesso non me ne frega niente di guardarvi.' Il mondo intero poteva cessare d'esistere senza che lei battesse ciglio. 'Ho un unico cielo, un unico sole, un'unica luna, un'unica stella.' E abbracciò forte Luis Veloce, che respirava placidamente abbandonato su di lei, schiacciandola, imprigionandola. Era la sua schiava. 'È una stregoneria,' pensò. 'Una meravigliosa stregoneria.'

Intanto l'ideologo della rivoluzione che era andato a implorare il Grande Scomunicato di riprendere il potere era tornato in paese, dopo una lunga riflessione. Una folla di disgraziati lo aspettava, ansiosa di conoscere il responso. Il ribelle aveva deciso che non poteva deluderli. "Ha accettato!" urlò.

I disgraziati si animarono. "E ora che facciamo?" si chiesero.

"Tuffatevi a testa bassa nei vostri lavori," disse il rivoluzionario. "Non facciamolo infuriare. È diventato ancora più crudele di un tempo. Sperate che non venga mai giù in paese, se ci tenete alla testa. Ma per prudenza sgombriamo il palazzo e che tutti i servitori ritornino al loro posto, mi raccomando."

La folla si disperse in un attimo, silenziosamente. Ma ognuno di loro mormorava al vicino: "Ricomincerà a opprimerci! Che Dio sia benedetto!"

In cima alla collina nessuno fece in tempo ad accorgersi di questa nuova, strabiliante rivoluzione. Quella sera, all'ora di cena, Lafemmina portò al padre la zuppa di farro e fagioli avvelenata.

Prima di mangiare il Grande Scomunicato indicò alla figlia i bambini, che erano scesi alla base della collina, e stavano tracciando due piccole piste nella sabbia. Una, lunga dodici passi, tutta curve. L'altra, anch'essa lunga dodici passi, dritta come un fuso. Il Grande Scomunicato li guardava e sorrideva.

Solo allora Lafemmina si accorse che una tomba era stata profanata. Sulla lapide c'era scritto: "Urgulanilla e Vandalo". La terra era smossa. E poco più in là vide due vecchie scarpe, di cuoio chiaro e morbido. Erano stati ritagliati due pezzi simmetrici, sulla parte superiore delle scarpe. Lafemmina guardò il padre interrogativamente. Ma il vecchio dittatore che aveva terrorizzato ogni abitante del paese aveva occhi solo per i due bambini.

"Lasciali in pace. Sempre," disse alla figlia. "Sono la razza primitiva."

Poi immerse il cucchiaio nella zuppa.

E così morì. Anche se nessuno pensava che potesse davvero morire. Nemmeno lui stesso.

Lafemmina non avvertì Luis Veloce. Rimase lì, ferma, per tutta la notte. Ma Luis Veloce, vedendo che tardava a rincasare, la cercò. La vide seduta accanto al padre morto e non si avvicinò, perché sapeva che era giusto così.

L'indomani si accodò alla processione fino in chiesa, e ascoltò il discorso funebre. Si spaventò per le parole di Lafemmina e per quella teoria del sogno che tutti i paesani trovarono strampalata ma non lui. S'inginocchiò davanti a una statua della Vergine Maria, decapitata dalla rivoluzione, e pregò – lui che non l'aveva mai fatto – perché Lafemmina non scomparisse. Poi tornò ad accodarsi al corteo funebre che risaliva la collina, seguendo lo straordinario feretro del Grande Scomunicato, che nel suo cubo d'oro e di cristallo se ne stava fiero e impettito, con quel sorriso spietato dipinto sulle labbra da rettile e il mignolo della mano destra impennato in alto.

Solo quando tutti i paesani se ne andarono, a notte

fonda, Luis Veloce si avvicinò a Lafemmina e la strinse a sé. E Lafemmina, solo allora, tra le sue braccia, si sciolse in un lungo pianto.

Più tardi misero i bambini a letto. Non sembravano turbati per la notizia della morte del nonno. Come se non la capissero. O come se non fosse vera. O meglio, come se il mondo intorno a loro fosse assai poco interessante.

Lafemmina, guardandoli dormire così placidamente, si strinse a Luis Veloce e disse: "Questi due sono gli unici a cui io non debba spiegare che è tutto un sogno del Grande Scomunicato. È come se loro non ne facessero parte. Come se ubbidissero a una storia più antica. Una storia venuta bene."

"Non gli ho insegnato nemmeno un gioco," disse pensoso Luis Veloce. "Un padre dovrebbe insegnare dei giochi ai propri figli."

"L'ha fatto il nonno," disse Lafemmina.

"Ah…" fece Luis Veloce, deluso. "Sì, ma non gli ho mai raccontato nemmeno una storia."

"L'ha fatto il nonno," disse Lafemmina.

"E che storia?" chiese irritato Luis Veloce.

"Una stupidaggine," minimizzò Lafemmina. "Una vecchia, inutile storia che si raccontava da queste parti prima che arrivasse il Grande Scomunicato a incasinare tutto."

Stavano per addormentarsi l'una nelle braccia dell'altro quando sentirono un rumore provenire dalla sala principale del mausoleo, dove era stato inumato il Grande Scomunicato. Luis Veloce impugnò la mazza e, con cautela, raggiunse la grande stanza circolare. Appena si fu abituato all'oscurità, vide il gemello assassino che gironzolava inquieto intorno al mirabile feretro del Grande Scomunicato.

"Che devo fare?" sussurrò a Lafemmina, che nel frattempo l'aveva raggiunto.

"Lascialo perdere," disse lei. "È pur sempre mio figlio."
E così tornarono a dormire.

"Maledetto vecchio, te la sei cercata," borbottava il gemello, ringhiando allo spaventoso cadavere del Grande Scomunicato. Ma piano, quasi temendo che potesse sentirlo. O forse così piano perché lui stesso non era più convinto.

Camminò avanti e indietro per un bel po' di tempo, guardando con la coda dell'occhio il nonno impietrito. Poi, quando si sentì stanco, invece di andare a dormire nella branda che il Grande Scomunicato gli aveva destinato, come una cuccia, si accoccolò ai piedi del feretro.

Si sentiva solo e gli sembrava che nulla avrebbe mai più potuto colmare quella solitudine. Solo come i paesani che erano andati a chiedere al Grande Scomunicato di riprendere il potere. Solo e stupido come quei rivoluzionari che non riuscivano a trovare pace senza le angherie del vecchio dittatore. E improvvisamente si rese conto che quel suo estremo atto di assassinarlo aveva trasformato in ombre le speranze sue e di tutto il mondo che era dipeso dal Grande Scomunicato.

Ebbe paura. Una paura che non aveva uguali, neanche rispetto al terribile momento in cui aveva temuto di essere giustiziato dai ribelli. E si sentì disperato, ancora di più di quando era stato messo in catene. E si accorse che stava per piangere, per la prima volta in vita sua.

S'accucciò di nuovo, raggomitolato su se stesso, come per trattenere dentro di sé quel dolore che lo stupiva e lo faceva sentire smarrito, come se non sapesse più chi era e dove sarebbe voluto andare. Non aveva più niente. Nemmeno se stesso.

E allora decise di abbandonarsi al pianto. Aspettò i singhiozzi. E invece dalla gola gli uscì un guaito. Come un cane.

Rimase rannicchiato tutta la notte, guaendo e mugolando. Al mattino non trovò la forza di alzarsi. Lanciò solo una fugace occhiata al cadavere del Grande Scomunicato e il dolore che aveva dentro esplose ancora più forte. Non si mosse, per tutto il giorno. Rimase lì, accanto al feretro del dittatore morto, del padrone, guaendo sommessamente. Rifiutò il cibo e anche l'acqua. E giunto il tramonto, a mano a mano che il buio invadeva il mausoleo, il dolore che aveva dentro crebbe, insieme a quella sensazione di vuoto e inutilità che ormai sembrava essere la sua nuova natura. Prima che fosse notte, sporgendosi appena, leccò timidamente la base del feretro, come baciandolo. E in piena notte, mentre la luna riempiva il cielo inquadrato dalla finestra, si rizzò sulle braccia, protese il collo e ululò, disperato.

Come un cane fedele, non si mosse dalla tomba né bevve né mangiò per una intera settimana, senza mai smettere di guaire, anche quando era ormai stremato.

Alla fine di quella settimana era morto.

Come ogni cane fedele, non era sopravvissuto che pochi giorni al proprio padrone.

UN ALTRO INIZIO

Quando i due bambini fanno vecchi giochi e Lafemmina e Luis Veloce hanno un sogno tutto loro.

Ma lo smarrimento per la morte del Grande Scomunicato era generale.

In paese non c'era più un solo abitante che sapesse cosa fare. I ladri avevano perso interesse alle loro ruberie e gli imbroglioni ai loro loschi traffici. I contadini non trovavano più una ragione per arare la terra e fecondarla con le sementi così come i negozianti non sapevano più perché aprire le loro botteghe. I soldi scivolavano dalle mani un tempo avide dei banchieri e finivano nella polvere, ma né mendicanti né indigenti trovavano la voglia di chinarsi a raccoglierle. I profeti s'erano ammutoliti. E s'erano ammutoliti perfino i politici.

L'intero paese era annichilito.

Nessuno aveva mai immaginato la propria vita senza il Grande Scomunicato. Nessuno era preparato al fatto che quella stessa morte che il tiranno aveva dispensato con tanta leggerezza potesse occuparsi anche di lui.

Gli incubi dei paesani divennero sempre più bui e angoscianti, al punto che nemmeno il sole impietoso del giorno riusciva a portare un po' di luce e a spazzare via le spaventose immagini partorite dalla notte. Il discorso funebre pronunciato da Lafemmina aveva incrinato profondamente la corazza dei paesani, aveva messo in dubbio le loro poche certezze, aveva smosso, intorbidandole, le stagnanti acque delle loro coscienze.

Il paese stava morendo di fame perché non c'era più nulla che potesse nutrirli.

Dall'alto della collina, Lafemmina e Luis Veloce – incapaci di concentrarsi a lungo su qualcosa che non li riguardasse – quasi non si accorgevano di quella lenta agonia, se non per un miasma malarico che si diffondeva nell'aria, come se il malessere del paese avesse un suo particolare odore.

Solo per i due bambini avevano una certa attenzione.

Luis Veloce in particolare, dopo che Lafemmina gli aveva detto che il Grande Scomunicato aveva insegnato storie e giochi ai due bambini, sentendosi in colpa per non averlo fatto lui, cercava di stare accanto ai figli.

Ma quelli non sembravano particolarmente interessati alla sua presenza. Non che provassero fastidio o anche solo imbarazzo, semplicemente si bastavano l'un l'altra, così come Lafemmina e Luis Veloce si bastavano vicendevolmente. Era come se – alla stessa maniera di Lafemmina e Luis Veloce – avessero costituito un loro universo che non era in opposizione a qualcos'altro, né in polemica, né in dissenso, né in reazione. Era solo un mondo del quale nessun altro poteva far parte.

La piccola ormai era capace di stare sulle sue gambe e parlare e il fratellastro, comunque, continuava a prendersene amorevolmente cura. Era come se quei due si ascoltassero e conoscessero a un livello più profondo di chiunque altro.

Passavano il loro tempo ai piedi della collina perché avevano assorbito dal nonno il concetto che l'erba fosse un bene prezioso e che era meglio non calpestarla inutilmente. Gli unici momenti in cui interagivano con il mondo esterno erano due. Osservavano Lafemmina mentre cucinava la zuppa di farro e fagioli e imparavano a piantare e raccogliere. Solo farro e solo fagioli.

"Stanno studiando per essere completamente autosufficienti," disse Lafemmina.

E di lì a poco videro che i bambini impastavano la sabbia con l'acqua e con la paglia e cominciavano a tirar su una capanna, a pianta circolare.

"Ma questo chi gliel'ha insegnato?" domandò Luis Veloce.

"Nessuno," rispose Lafemmina. "La realtà è che ci sono cose che sanno e basta."

"Forse dovrei andare giù ad aiutarli," disse allora Luis Veloce.

"No. Lasciali in pace. Sempre," disse Lafemmina, ripetendo le ultime parole del Grande Scomunicato.

"Ma sono il padre, io credo che dovrei…"

"Lasciali in pace."

Però Luis Veloce non riusciva a rassegnarsi. Tanto la loro autonomia gli faceva piacere – e gli lasciava ancora più tempo per dedicarsi a Lafemmina, anima e cuore –, tanto si sentiva escluso.

Così, quando Lafemmina si addormentava, scendeva ai piedi della collina e cercava di familiarizzare con i figli. In special modo provava a giocare con loro. I due bambini avevano costruito, su indicazione del nonno, due piccole piste di dodici passi che ricalcavano perfettamente – in scala – le due antiche piste di dodici leghe dei Mentecatti. E su quelle piste giocavano con due scarabei sulla corazza dei quali il Grande Scomunicato, prima di morire, aveva incollato due cavalli di cuoio, incisi da Mastro Tagliabue, tanti anni prima, sulle calzature che aveva creato per Urgulanilla. Per quella ragione il Grande Scomunicato aveva profanato la tomba della Mentecatta.

"Come si chiamano?" aveva chiesto Luis Veloce ai figli, indicando gli scarabei.

I due bambini paffuti, dalla pelle giallastra, lo avevano guardato aggrottando le sopracciglia, con un'espressione vagamente ottusa. Poi il maschio, indicando uno dei due scarabei, aveva detto: "Lui." E la bambina, indicando l'altro, aveva detto: "Lui."

"Ma dovreste dargli dei nomi, non credete?"

"I nomi sono l'inizio della fregatura," dissero in coro i bambini.

"Chi ve l'ha detto?" domandò Luis Veloce.

"Lui," e indicarono il mausoleo, in cima alla collina.

"Il Grande Scomunicato?" chiese Luis Veloce.

"I nomi sono l'inizio della fregatura," ripeterono i bambini e poi risero.

Luis Veloce fece finta di divertirsi e rise con loro. Ma capì che loro non ridevano con lui. Poi tornò a indicare i due scarabei, che se ne stavano immobili, come aspettando un segnale dai bambini. "E qual è il più veloce?"

Ancora una volta i bambini aggrottarono le sopracciglia, perplessi. "Nessuno dei due," dissero poi.

Luis Veloce sorrise. "È impossibile."

"I nostri cavalli sono tutti veloci allo stesso modo," ripeterono.

"Non sono cavalli, bambini, ma scarabei."

"Non dire stupidaggini," risero i bambini, divertendosi un mondo. "Sono cavalli mitologici con sei zampe, di cui due invisibili."

In quel momento arrivò Lafemmina, che si era svegliata. Accarezzò il capo dei bambini poi prese per mano Luis Veloce e gli disse: "Vieni, andiamocene."

Luis Veloce la seguì mogio. "Non li capisco," disse una volta in cima alla collina.

"Non devi capirli. Devi lasciarli in pace, te l'ho detto."

"Mi sento irrimediabilmente escluso," disse a testa bassa Luis Veloce, come un tempo aveva pensato il Grande Scomunicato.

Lafemmina lo guardò con tenerezza e gli disse: "Lo sei. Irrimediabilmente." E poi aggiunse: "Lo siamo. E lo sarà sempre chiunque."

"Perché?"

"Perché loro sono la razza primitiva," rispose Lafemmina.

"Che significa?"

"Non lo so," rise Lafemmina. "Me l'ha detto il Grande Scomunicato prima di morire e gli ho creduto, anche se non ho idea di cosa voglia dire."

Luis Veloce sospirò. "Ho paura che quei due non ce la facciano, da soli. Sono solo dei bambini."

"Non dire sciocchezze."

"Tu non capisci. Credono che i loro scarabei siano cavalli."

"E chi ti dice che non siano cavalli?"

"Perché sono scarabei."

"Ne sei così sicuro?"

"Tu pensi che siano cavalli mitologici con sei zampe di cui due invisibili?"

"A me non interessa."

"Perché?" chiese esasperato Luis Veloce.

"Perché il Grande Scomunicato mi ha chiesto di lasciarli in pace," rispose Lafemmina. "E credo che questa sia l'unica cosa buona che ha pensato di combinare nella sua vita troppo lunga."

"Lasciarli in pace?"

"Sì, credo che sia questa la lezione che ha imparato."

"Lasciarli in pace."

"È inutile che continui a ripeterlo."

"Non riesco a rassegnarmi all'idea di essere escluso. Non riesco a pensare di non poter insegnare qualcosa ai miei figli. Non posso accettare di non…"

"Va bene. Allora costruisci un paese e scrivi le leggi e amministra le punizioni. Vuoi davvero farlo? Non ti è bastato l'esempio del Grande Scomunicato?"

Luis Veloce tacque per un po'. "Non dovrei nemmeno guardarli da quassù, secondo te?"

"Secondo me dovresti guardare me," sorrise Lafemmina.

E nell'attimo stesso in cui anche Luis Veloce sorrise, dimenticandosi del mondo intero, ancora una volta, come sempre, e l'abbracciò e la strinse e la prese, e i loro corpi si unirono, come se i cieli e gli oceani potessero diventare una cosa sola, avvenne quello che Lafemmina aveva pronosticato nel suo discorso funebre.

Fu come un'ondata. Un'ondata invisibile, senz'acqua. Cancellò tutto ciò che non era vero. E così scomparvero le case ma non le rocce. Le effigi dei martiri ma non gli alberi. La chiesa e quel che restava del palazzo del Grande Scomunicato ma non la tana di un istrice né il nido di un airone. La biblioteca e tutti i suoi libri ma nessuna delle idee che contenevano. E allo stesso modo, a mano a mano che l'ondata invisibile li raggiungeva, sparirono i paesani.

Il cadavere imbalsamato del Grande Scomunicato fu l'ultimo a scomparire.

Luis Veloce strinse più forte ancora Lafemmina, certo che anche loro sarebbero scomparsi, e le sussurrò nell'orecchio tutte le parole d'amore che aveva conservato per diluirle negli anni a venire, perché credeva di non avere più tempo. Ed erano così tante che Lafemmina ne fu ubriacata e gli occhi le si riempirono di lacrime che le inzupparono il viso. E allora Luis Veloce, che non voleva sprecare nulla di quegli ultimi istanti, le bevve tutte, fino all'ultima lacrima. E poi disse:

"Sono dolci." E Lafemmina gli sorrise e disse: "Sì, sono felice."

Invece, quando tutto fu finito, Lafemmina e Luis Veloce erano ancora lì, abbracciati in cima alla collina dove non esisteva più il mausoleo né il cerchio di lapidi.

"Perché noi no?" chiese Luis Veloce, senza fiato.

"Perché il nostro amore ci ha dato il diritto di vivere e morire," rispose piano Lafemmina, commossa. "Perché abbiamo inventato un sogno tutto nostro."

"E i bambini?" si domandò Luis Veloce. E allora guardò ai piedi della collina. E neanche loro erano scomparsi.

Quando avevano sentito passare l'ondata, avevano riso. Come se qualcuno gli avesse fatto il solletico. E poi avevano ripreso a giocare, ignari di quel che gli accadeva intorno.

Al confine del regno che era stato dei Mentecatti, intanto, si era alzata una nebbia fitta, spessa come le mura di un castello, spessa come era stata quando aveva lasciato passare il Grande Scomunicato per salvarlo dai pastori che volevano scannarlo. E il giorno era tornato senza sole, così come la notte si annunciava senza stelle.

"Che dobbiamo fare?" chiese allora Luis Veloce.

"Non ho tutte le risposte," disse Lafemmina.

"Che dobbiamo fare?" domandò ancora Luis Veloce.

"Niente. Abbracciami."

"Tutto qui?"

"Sì, non c'è altro."

Luis Veloce si stese sull'erba e Lafemmina gli si mise accanto, abbandonandogli il capo sul petto. L'erba era fresca. L'aria stessa era fresca. Il cielo era limpido.

"È la fine?" chiese Luis Veloce.

"No," sussurrò Lafemmina. "È un altro inizio."

Indice

Bompiani ha raccolto l'invito della campagna
"Scrittori per le foreste" promossa da Greenpeace.
Questo libro è stampato su carta certificata FSC,
che unisce fibre riciclate post-consumo a fibre vergini
provenienti da buona gestione forestale e da fonti controllate.
Per maggiori informazioni: http://www.greenpeace.it/scrittori/

Finito di stampare
nel mese di marzo 2011 presso
Grafica Veneta S.p.A.
Via Malcanton, 2 – Trebaseleghe (PD)
Printed in Italy